SACRAMENTO PUBLIC LIBRARY

D1093983

)5814

5/2015

WITHDRAWN FROM COLLECTION OF
SACRAMENTO PUBLIC LIBRARY

АНАТОЛИЙ СОБЧАК
СТАЛИН
ЛИЧНОЕ ДЕЛО

Общество станет свободным только тогда, когда научится быть бдительным к своим вождям.

Жан-Поль Марат

Только народ, научившийся думать сам за себя, способен отучить других действовать за него.

А. И. Герцен

АНАТОЛИЙ СОБЧАК

СТАЛИН
ЛИЧНОЕ ДЕЛО

ЭКСМО
Москва
2015

УДК 94(47+57)(092)Сталин
ББК 63.3(2)6-8Сталин
С 54

Разработка серии и дизайна переплета *А. Саукова*

Иллюстрация на обложке *В. Коробейникова*

Собчак, Анатолий.

С 54   Сталин. Личное дело / Анатолий Собчак. — Москва : Эксмо, 2015. — 256 с.

ISBN 978-5-699-65982-1

Это — последняя книга Анатолия Собчака. Книга, которую он, можно сказать, писал всю жизнь. Главный герой этой книги — Иосиф Сталин. Для одних Сталин — память о страшных злодеяниях, для других — о великих свершениях. Одни до сих пор проклинают его имя, другие — выходят с его портретом на митинги и демонстрации.

Память о Сталине — это миф, который творился и при его жизни, и после его смерти, который продолжает твориться и сегодня. Анатолий Собчак деструктурирует этот миф, воссоздавая портрет реального Сталина в форме, наиболее характерной для сталинской эпохи. В форме анкеты — одного из важнейших документов того времени.

В анкету, как в клетку, загонялась вся жизнь человека, но одновременно анкета была и скальпелем, расчленявшим ее на составные части. Сам Сталин, кстати, анкеты заполнять не любил — слишком много было в них щекотливых вопросов, поэтому Анатолий Собчак сделал это за него.

В итоге получилась книга о природе и сути абсолютной власти, о том, как она действует на человека, как она меняет его и окружающих. Анатолий Собчак хорошо знал эту природу, ведь ему довелось и вкусить этой власти на посту мэра Санкт-Петербурга, и познать, что такое изгнание из власти.

**УДК 94(47+57)(092)Сталин
ББК 63.3(2)6-8Сталин**

© Анатолий Собчак, Ксения Собчак, 2014
© Предисловие — Ксения Собчак, 2014
© Оформление ООО «Издательство «Эксмо», 2015

ISBN 978-5-699-65982-1

Предисловие

Эта книга была написана моим отцом — Анатолием Александровичем Собчаком в изгнании, в 1998—1999 гг. в традиционном для русской эмиграции Париже, где он много общался с представителями всех волн эмиграции, пытаясь в дискуссиях найти ответ на главный вопрос: почему богатой и талантливой России так не везет с вождями! И вечно мучительно русское — кто виноват?

Конечно, главной фигурой, олицетворяющей весь ужас тоталитарного режима, и проклятием страны был Сталин. Так возникла идея написать книгу об «отце народов», основываясь на имеющихся в его распоряжении в Париже материалах.

Эта книга не претендует на историко-документальную достоверность. Здесь нет архивной эвристики, сенсационных открытий. Вполне возможны фактологические ошибки из-за разрозненных и отрывочных сведений. Многие приведенные факты требуют ссылок на источники. Все это Анатолий Собчак предполагал сделать, вернувшись в Россию. Не успел...

Мы не стали ничего добавлять, исправлять возможные ошибки или неточности. Оставили все так, как было в рукописи. Потому что не научную биографию «великого вождя и учителя» хотел написать мой отец, а размышления о природе тоталитаризма, его генезисе, а главное — как народ сам, своей рабской покорностью, безразличием, равнодушной удовлетворенностью быть винтиком в машине государства, способствует установлению авторитарной власти, от которой сам же и страдает. «Трудно понять, как Сталин превратил миллионы людей в рабов, умирающих с его именем на устах».

А. Собчак пишет: «Как известно, память раба, как и его психология, отличается от памяти и психологии свободного человека. Свобода для человека с рабской психологией — тяжкое бремя и худшее из наказаний, а самое сильное чувство в нем — чувство преклонения перед своим господином. Раб, даже если он вдруг стал свободным, в душе сохраняет тягу к «сильной руке» и «жесткому порядку»».

В чем причина, какова анатомия тоталитаризма — вот главная цель размышления автора, отдавшего столько сил демократизации нашего общества.

Своевременность и актуальность издания этой рукописи именно сейчас определяется строчками стихов Евгения Евтушенко:

Мне чудится, будто поставлен в гробу телефон.
Кому-то опять сообщает свои указания Сталин...
Мы вынесли из мавзолея его.
Но как из наследников Сталина

   Сталина вынести?

Поэтому я и решила выпустить в свет эту неоконченную книгу сейчас, спустя десятилетие. Может быть, потому, что, повзрослев и столкнувшись с современными политическими процессами, сама, как и отец, стала задумываться над теми же вопросами...

Есть еще одна особенность у этой книги. Автор, юрист по профессии, по призванию и сущности, большое внимание уделяет юридическому беспределу, использованию внешних атрибутов правового государства — судов, следователей, прокуратуры — для создания репрессивной машины подавления оппозиционности (чаще мнимой) и уничтожения миллионов сограждан. «Принадлежность к оппозиции обвинением не доказывалась, а констатировалась как непреложный факт... Все остальное: заговор, шпионаж и диверсии... — все это, по мысли обвинения, было естественным следствием оппозиционной деятельности подсудимых».

Ответственность (вернее, безответственность) судей, прокуроров и следователей, оставшихся в тени разоблаченного «культа личности», — эта тема очень волновала Анатолия Собчака. Он ее «выстрадал», когда после окончания Ленинградского университета по распределению был направлен в Ставропольский край, где в качестве адвоката в конце 50-х годов XX века занимался реабилитацией незаконно репрессированных. Позднее, когда он сам стал жертвой фальсифицированных обвинений и травли, он писал: «Наша правоХРАНИТельная система превращается в правоХОРОНИТельную. Возбуждение вымышленных уголовных дел в качестве дубинки в борьбе с политическими противниками — эти сталинские приемы вновь приходят в нашу юридическую практику...» (1998 г.)

Столкнувшись на личном опыте с нашей право-ХОРОНИТельной системой и наблюдая за репрессированным трендом в сегодняшнем законодательстве, за воодушевлением «всенародного» одобрения этого процесса, я пришла к решению опубликовать эту неоконченную книгу моего отца, выполняя не только долг памяти, но и для того, чтобы его предостережения были услышаны сегодня.

И еще об актуальности.

Сегодня, когда в центре Европы льется кровь и идет братоубийственная война, кажется, что Сталин из гроба усмехается, прикуривая свою трубку и наблюдая за происходящим, как за делом своих рук. Ведь все межнациональные конфликты, возникшие в посткоммунистическое время, были заложены именно сталинской национальной политикой, Карабахский конфликт, избиение и выселение турок-месхетинцев из Узбекистана, абхазско-грузинское противостояние, проблемы Южной Осетии и т. д. — во всех случаях можно проследить, как произвольные государственные решения, принятые «вождем народов» в свое время, стали минами, заложенными под будущее этих народов. Включение Нагорного Карабаха, населенного армянами, в состав Азербайджана, ликвидация Абхазской республики и включение ее в состав Грузии на правах автономии, переселение турок-месхетинцев из Грузии в Узбекистан, разделение осетинского народа на Северную Осетию и Южную Осетию, включенную в состав Грузии, — вот истинные причины последующих межнациональных войн и конфликтов. А произвольная передача российских губерний Украине? А пакт Молотова—Риббентропа, включивший Западную Украину в состав СССР и тем самым превративший ее в заклятого врага? А выселение целых народов: крымских татар, русских немцев, чеченцев, калмыков, карачаевцев и др.? В этом и есть сталинская национальная политика, осуществлявшаяся по старому британскому колонизаторскому принципу: разделяй и властвуй!

И мы должны забыть все это, «идя навстречу пожеланиям трудящихся», которые хотят вновь видеть имя душегуба и злодея на карте нашей Родины в городе Сталинграде?

Без преувеличения можно сказать, что книга — политическое завещание А. А. Собчака, предупреждение и предостережение своим последователям и ученикам, а главное — своему народу.

Ксения Собчак
лето 2014 г.

Вступление

В сталинское время анкета приобретает исключительно важное значение в жизни каждого человека, из формального документа превращается в допросный лист, в котором отражаются все стороны человеческой жизни. Анкета становилась клеткой, в которую загонялась жизнь человека, но одновременно была и скальпелем, расчленявшим ее на составные части. Ведь это была эпоха, когда наличие репрессированных родственников само по себе составляло преступление и закрывало дорогу для нормальной карьеры и жизни. Если же вспомнить, что счет репрессированных — врагов народа — шел на десятки миллионов, то становится понятно, что заполнение анкеты становилось для множества людей источником мучений и постоянного страха быть уличенными или разоблаченными.

В то время сокрытие правды о социальном происхождении, о родственниках, да еще, не дай бог, живущих за границей, каралось как преступление нравственное и государственное. Скрыл правду от партии и народа, был неискренен перед товарищами по партии. Вот обычные в таких случаях формулировки для исключения из партии, увольнения с работы, отчисления из университета и т. д. За этим нередко мог последовать арест, ГУЛАГ и прочее.

Анкета становилась камнем преткновения и при заполнении пятого пункта (о национальности) и пунктов о социальном происхождении и социальном положении, а также о выездах за границу. А чего стоили вопросы анкеты о службе в белой армии, об отклонениях от генеральной линии партии, о принадлежности — даже кратковременной — к оппозиции и т. п. Положительные ответы на эти вопросы были равнозначны самооговору в ЧК — ГПУ — НКВД — КГБ со всеми вытекающими отсюда последствиями. Отрицательные — сокрытию правды. И круг замыкался.

В ранних советских анкетах, в начале двадцатых годов, содержался общий вопрос: «Ваше отношение к Советской власти?» — на который подавляющее большинство жителей страны с полным основанием могло ответить так же, как герой одного из рассказов того времени: «Боюся!»

Практически каждый пункт анкеты в те годы таил в себе опасность, был подводным камнем при приеме на работу, устройстве на учебу и т. д., а нередко и при решении вопроса о жизни или смерти.

Анкеты заполнялись не только при поступлении на работу или учебу, но и при вступлении в комсомол или компартию, при выезде за границу в служебную командировку или по туристической путевке, при защите диссертаций, при выдвижении твоей кандидатуры на присвоение какого-либо звания или получения награды, а также во многих других жизненных ситуациях. В течение жизни советскому человеку приходилось заполнять свою анкету десятки, а иногда и сотни раз. Анкета была неотъемлемым атрибутом советской жизни, таким же, как портреты Маркса — Энгельса — Ленина — Сталина, как серп и молот, как бесконечные славословия в адрес великой и родной Коммунистической партии.

Для государственных служащих и офицеров анкеты существовали и в дореволюционной России. Дореволюционная анкета состояла из 14 разделов (пунктов) и сопровождала ее владельца с момента поступления на государственную службу и до дня ухода со службы либо кончины.

В ней отражались все этапы продвижения по службе, включая отпуска, звания и награды, а также имущественное состояние чиновника и его близких. Все это позволяло держать любого государственного служащего под известным контролем, не превращая, однако, нормальный кадровый документ в орудие слежки, шантажа и репрессий, как это произошло с анкетами советского периода.

Из книги Даниила Гранина «Страх»:
Анкета. Над нашими анкетами теперь смеются.
Сколько там было вопросов: про родителей, про жену, детей, родителей жены. Зачем, спрашивается? Работника надо выбирать не по анкетам, а по деловым качествам. Как будто мы сами не знали! Молодежь насмехается, смотрят свысока на советское прошлое. Порядка же навести не могут. И не наведут. Без страха им не справиться. А страху нет. Не хватает. У нас была создана, отлажена почти научная система поддержания страха. Тоталитарный режим создал тоталитарный страх.

Нам не долларов не хватает, нам страха недостает. Разрушили нашу систему...

Так вот насчет анкет. Вопросы не такие дурацкие были. Наша задача — выловить грешки; за каждым имеются грешки, каждый прячет какое-нибудь говнецо. Один когда-то проворовался, у него судимость, другой скрыл отца-вредителя, у третьего — жена с родственниками за границей. Такие люди, к вашему сведению, — самые ценные. Иной думает, что если у него анкета чистая, то он кум королю, ему все дороги открыты. Ан нет. Еще раз нет. Нам куда лучше было иметь замаранного. Он стараться будет изо всех сил, а уж если он чего скрыл, то крепче на крючке сидит. Мы ему чуть-чуть намекнем и достаточно.

Компроматики — самый ценный кадр.

Компроматик — это тот, на кого есть компрометирующий материал. Компроматик — человек обязательный, исполнительный. Главное же его качество — он вам предан, он вам верно служит, потому как он у вас в руках, вы его в любой момент огласите, и все, спекся мужик. Втайне он вас ненавидит, но будет за вас стараться, подвоха от него не предвидится. Страхом надо умело пользоваться, человек благодаря страху способен творить чудеса и подвиги!

Анкеты сталинского времени были пространными, многостраничными документами, содержащими до пятидесяти и более пунктов и подпунктов. Наиболее обширным и детализированным в каждой анкете был пункт о партийности. Это и понятно, так как принадлежность к правящей партии, к тому же единственной, открывала человеку возможность карьеры в любой избранной им сфере деятельности — от госаппарата до науки и культуры.

Быть членом Коммунистической партии означало тогда принадлежность, пусть даже формальную, к избранной касте. Этим объясняется детальность вопросов анкеты о времени вступления в партию и пребывания в ней, о партийных взысканиях; о том, были ли колебания или отклонения от генеральной линии партии, состоял ли опрашиваемый в троцкистской, правой, национально-шовинистических и прочих оппозициях (где, когда, как долго и пр.). К ним примыкают аналогичные вопросы о членстве в ВЛКСМ и в советских профсоюзах. В настоящей книге все эти вопросы анкеты для удобства объединены под одним кратким заголовком: «Партийность».

Не менее детализированными были в анкетах и вопросы, относящиеся к службе в армии: «Служил ли в:

а) старой армии, с... по... последний высший чин;

б) Красной Гвардии, с... по... в каких должностях;

в) Красной Армии, с... по... последняя высшая должность;

г) войсках или учреждениях белых правительств (если служил, то с какого по какое время, где и в каких должностях);

д) участвовал ли в боях во время Гражданской или Отечественной войн (где, когда и в качестве кого);

е) был ли в плену (где, когда, при каких обстоятельствах попал, как и когда освободился из плена);

ж) находился ли на территории, временно оккупированной немцами в период Отечественной войны (где, когда и работа в это время);

з) имеет ли ранения (контузии), какие, где и когда получил, и т. п.

Применительно к герою настоящей книги все эти вопросы объединены в один пункт под заголовком: «Военная служба». Аналогичные сокращения произведены и по ряду других, схожих по предмету, вопросов анкеты.

Сам Сталин избегал заполнять анкеты — слишком много было в них щекотливых вопросов, ответы на которые он затруднялся или по определенным соображениям не хотел давать. Например, о происхождении, образовании или профессии. Анкеты делегата X и XI съездов РКП(б) были последними, которые он заполнял самолично. На последующих съездах его анкеты заполнялись секретариатом.

Однако, несмотря на попытки Сталина еще при жизни окружить тайной все события своей биографии, сохранилось немало документов и свидетельств современников, а также рассказов, мифов и легенд, в которых отражена его жизнь и деятельность. Данная книга — попытка собрать воедино разбросанные по крупицам в книгах и документах сведения о жизни человека, сыгравшего, возможно, самую важную роль в истории человечества в двадцатом веке.

Политика, как театр, — это искусство настоящего времени. Политиков, сошедших со сцены, забывают так же быстро, как и актеров, переставших играть на сцене театральной. Живым посредственным политиком, по-видимому, быть лучше, чем гениальным, но уже вышедшим в тираж или умершим. К тому же особенность исторической памяти такова, что она долго сохраняет лишь воспоминания о тех политических деятелях, которые прослыли известными душегубами. Чем больше загубленных человеческих жизней на счету такого политического деятеля, тем дольше сохраняется память о нем. Достаточно вспомнить имена Александра Македонского, Нерона, Чингисхана, Тимура, Наполеона, Гитлера, Сталина, Мао Цзэдуна и др.

Память о Сталине — это прежде всего память о немыслимых, невозможных и тем не менее имевших место преступлениях против человечности, против сотен и тысяч конкретных людей, которых он знал хотя бы пофамильно; против миллионов убитых или замученных по его приказам, но оставшихся для него безымянными; против целых народов, которые ему в чем-то не угодили.

А как же его портреты и плакаты с его именем, с которыми люди до сих пор выходят на митинги и демонстрации? Ведь это тоже память!

Как известно, память раба, как и его психология, отличаются от памяти и психологии свободного человека. Свобода для человека с рабской психологией — тяжкое бремя и худшее из наказаний, а самое сильное чувство в нем — чувство преданности и преклонения перед своим господином. В душе раб, даже если он вдруг стал свободным, всегда сохраняет тягу к «сильной руке», «жесткому порядку», внешней дисциплине, так как внутренняя самодисциплина у него отсутствует.

«При Сталине был порядок», — говорят эти люди. Под порядком они подразумевают такую систему жизни, когда каждый знает свое место и не высовывается, все жестко регламентировано и наперед расписано, когда все за тебя решает начальство, которому «виднее», а всякая инициатива наказуема и т. п.

Но кроме людей с рабской психологией, на демонстрации и митинги с портретами Сталина выходят и его подручные: «вертухаи», палачи и та многочисленная обслуга, которая кормилась вокруг него. Совсем не случайно, что поклонники Сталина — это в основном пожилые люди. Состав их совершенно особый — бывшие служители НКВД, МГБ, работники ГУЛАГа и других ведомств, обслуживавшие в свое время машину репрессий. Среди них немало настоящих преступников, которых и сегодня следовало бы судить за преступления против человечности. При Сталине они исчислялись сотнями тысяч и миллионами; в наше время — остались тысячи преданных Сталину и его режиму людей, в основном с московской пропиской. Осталось их немного, но смириться с гибелью репрессивного режима они не хотят да и, по-видимому, не могут.

В человеческом плане Сталин оставил после себя выжженную землю. Все сколько-нибудь яркие люди уничтожались им еще на дальних подходах к властным высотам. Остались исполнительные посредственности или умные холуи, погрязшие во лжи и демагогии. Приспособленчество стало при Сталине едва ли не главным человеческим качеством. Были, конечно, и другие, но те — от греха подальше! — предпочитали уйти в науку, в сферу культуры. Куда угодно, лишь бы не быть на виду, держаться подальше от власти. Если же, несмотря ни на что, они проявляли свою независимость, свою строптивость, свое отличие от других — участь их, как правило, была печальной.

Наиболее живучими были человеки из номенклатуры сталинского разлива, для которых важнее всего были лозунг, призыв, слова, а не реальное дело: не то, как что-то происходит в жизни, а то, как правильно преподнести это с трибуны партактива или в соответствующем вышестоящем кабинете. Они жили в мире фикций — многочисленных планов и директив по развитию, ускорению, устранению недостатков, реорганизации, чистке и т. п., а также созданием комиссий и комитетов, написанием инструкций, уставов, докладных и прочих. Для них реально существовали лишь кресла, в которых они сидели, и блага, которые за это получали. В большинстве своем выходцы из нищей деревни, они готовы были любому перегрызть горло за теплый клозет.

Все остальное для них было параллельным миром, виртуальной реальностью. Иными словами, действительная жизнь для них становилась второстепенной, от нее они зависели меньше, чем от соблюдения принятых в их среде правил, формул, стандартов. Большая часть их жизни проходила в выдувании мыльных идеологических пузырей и проведении соответствующих кампаний и мероприятий.

Но даже при этом система работала, движимая страхом. Со смертью Сталина страх начал потихоньку исчезать, а система — разваливаться. И конец ее был неизбежен, так как репрессии, беззаконие, насилие и вызываемый ими страх были стержнем и двигателем этой системы. Сталинская система власти была по сути своей антигуманна, античеловечна, поэтому так наивны и бесплодны попытки придать ей человеческое лицо: ни коммунизма, ни социализма «с человеческим лицом» существовать не может.

Прошедшее, подобно песку, быстро заносится новыми событиями, но историческая память о чудовищных преступлениях сохраняется. В двадцатом столетии коммунизм и фашизм, олицетворением которых были Сталин и Гитлер, поставили под вопрос существование человеческой цивилизации. Мир едва не был отброшен к мрачным временам Средневековья, когда господство силы над разумом было беспредельным.

Но самым удивительным в этом испытании фашизмом и коммунизмом было то, с какой легкостью и с каким энтузиазмом народ подчинился насилию, с какой радостью утратил свободу и совершал чудовищные преступления, поклоняясь ложным богам и лживым идеям. К сожалению, мы не застрахованы от повторения подобного в будущем. Поэтому так важно объективно нарисовать портрет человека, ставшего живым Богом, Вождем, Хозяином страны, и понять двигавшие им мотивы и силы.

В этой книге я попытался заполнить графы анкеты сталинского периода фактами и свидетельствами о его жизни, а также отрывками из его собственных сочинений и того, что было написано о нем писателями и поэтами при его жизни и после его смерти. Получилось то, что я условно назвал материалами к биографии Иосифа Виссарионовича Джугашвили — Сталина.

ПУНКТ 1

Фамилия, имя, отчество:
Джугашвили—Сталин
Иосиф Виссарионович

Большую часть жизни Сталин прожил под псевдонимом.

В молодости это вызывалось необходимостью, условиями жизни. Сталин — этот псевдоним имел явную схожесть с Лениным по краткости, выразительности и звучанию. К тому же образ стали должен был говорить о силе и крепости, несгибаемости характера человека с такой фамилией. Совсем не случайно она появилась у Иосифа Джугашвили. В подобострастно написанной о Сталине книжке Анри Барбюса, сделанной на основе бесед с ним, об этом говорится весьма выразительно: «Это железный человек. Фамилия дает нам его образ: Сталин — сталь».

Сталин — конечно, было придумано в подражание Ленину и выдает тайные вожделения будущего Вождя всех народов. К тому же такая кличка напрашивалась сама собой: «джуга» по-грузински «сталь»[1]. Таким образом, Сталин — это по существу перевод грузинской фамилии на русский язык.

Монолог Сталина из книги Нодара Джина «Учитель»:

Я, например, никак не цельный человек. Я назвал себя Сталин.

Для чего?

Для того, чтобы быть сплошным, как сталь. Верно, даже сталь — металл не без примесей, но стали во мне всегда было больше, чем, например, камня в Каменеве. В нем не камня было много, а того, чем он был — Розенфельда.

Но и в самом Сталине было немало от Джугашвили, хотя всю свою жизнь он старался избавиться от этого, подняться над своим происхождением и своей прошлой жизнью.

Сначала ему хотелось только встать вровень с Лениным, только подражать ему и быть готовым исполнить любое указание вождя партии. Но с годами вызрел замысел подняться выше — на никем еще не достигнутую высоту. Первый шаг на этом пути состоял в устранении Ленина и обожествлении его трупа.

Псевдоним необходим для выживания профессионального революционера, подпольщика, боевика-тер-

---

[1] Версия впервые была обнародована в 1988 г. в газете «Правда» Георгием Лебанидзе, утверждавшим, что «джуга» на древнегрузинском языке означает «сталь». Слово «сталь» современного грузинского языка никакого созвучия с фамилией Джугашвили не имеет. — *Прим. ред.*

рориста. В зрелые послереволюционные годы сначала было следование общей моде замены фамилий на псевдоним, бытовавшей среди большевистских вождей. Не только по соображениям конспирации, но и из-за еврейских фамилий большинства из них: Бронштейн, Розенфельд, Апфельбаум и т. д., которые явно не годились для руководителей революционных пролетарских и солдатских масс. К старости возникло осознанное стремление заставить всех забыть о своем происхождении и грузинской фамилии. Великий Вождь всех народов не должен быть таким же, как все прочие. У него нет ни национальности, ни семьи, ни родственников. Он выше всего этого — ведь он подобен Богу! Хотя, конечно, было и то, и другое, и третье.

После войны, в пятидесятые годы, немало людей попало в лагеря только за упоминание вслух настоящей фамилии Вождя — это расценивалось как проявление неуважения к Сталину. В мои школьные годы (1944—1954) об этом говорилось между собой шепотом, как о величайшей тайне, но, честно говоря, мы так и не могли поверить в то, что «великий Сталин» — это какой-то там никому не ведомый Джугашвили.

В детстве мать и окружающие звали его Сосо, грузинское уменьшительно-ласковое от Иосифа. В годы подполья, арестов и ссылок Сталин вынужден был скрываться и жил под разными фамилиями. Среди них: Гилашвили, Иванович, Чокура Тотомянц, Нижарадзе, Чижиков и другие. Вызывает удивление, что Сталин с его ярко выраженной кавказской внешностью нередко скрывался под русскими фамилиями. Но объясняется это, по-видимому, лишь тем, какой паспорт ему удавалось достать в тот или иной момент его нелегальной жизни.

В годы Великой Отечественной войны свои директивы Верховного Главнокомандующего Сталин в целях сохранения секретности подписывал как Васильев или Иванов.

Псевдонимов, а точнее партийных кличек, у него было две: Коба и Сталин. Сталин — появился в 1912 году, вначале это был только литературный псевдоним, которым он подписывал свои статьи в партийной печати. Вплоть до 1917 года он использовал «Сталин» как один из псевдонимов, иногда в сочетании с другим: Коба — Сталин. Так подписаны многие статьи в «Правде» в 1917 году. Или в сочетании с настоящей фамилией. Например, Декларацию прав народов России в октябре 1917 года он подпишет: Иосиф Джугашвили—Сталин. Однако в дальнейшем исчезает и настоящая фамилия, и другие псевдонимы — остается только Сталин.

Приватизировав ленинское наследство, Сталин присвоил себе исключительное право толкования идей и высказываний Ленина. Именно благодаря этому он и смог утвердить себя в качестве единственного вождя партии и народа, верного ученика и соратника Ленина.

Отрывок из монолога И. Сталина из пьесы В. Волкова «Ялта»:

Вообще, целесообразность смерти для великих людей — это вопрос спорный. Я имею в виду действительно великих. Я не о вас говорю, Владимир Ильич, друг вы мой сердечный.

И что вы сделали такого, что достойно восхищения? Вы даже царей не сбросили, они сами себя сбросили. Ну, скинули правительство шутов гороховых, а потом Троцкий выиграл для вас Гражданскую войну, я организовал для вас липовую Федерацию, а вы ничего лучшего не нашли, как учредить мелкобуржуазный меркантилизм под названием НЭП.

Для начала вы мне, конечно, пыль в глаза напустили с вашей бородкой да лысиной! Восстания подавлять посылали. Учили меня: «Будьте безжалостны!» А я отвечал: «Рука у меня не дрогнет». Но когда я увидел вас у власти...

Я-то знаю, что вы считали меня грубым. «Этот повар может готовить только переперченные блюда». Но когда вам понадобился яд, потому что вам страшно было мучиться, вы попросили его у меня. Другие были против. Но я-то, конечно, с превеликим удовольствием! И они не смогли помешать мне набить ваше чучело! Ленин, потрошенный, как курица. Ленин, набитый воском через дырки носа! Потеха!

Ну ладно, пусть народ наш чтит ваши мощи до исступления. По крайней мере, знаю одно: теперь вы никуда не двинетесь со своей витрины — и навсегда останетесь наглядным пособием по искусству изготовления мумий...

Что касается вас, Владимир Ильич, и вашего культа... То это я его организовал уже после вашей смерти, и это есть только культ вашего трупа...

Упорядочивая все стороны жизни в подвластной ему стране, Сталин устанавливает и строгие формулы обращения к себе и другим — своеобразная бюрократизация почитания. Именно он ввел в оборот сначала среди руководителей, а затем и повсеместно обращение не по имени-отчеству, а с обязательным употреблением слова «товарищ» и фамилии того, к кому обращались. Никаких там «господ», «милостивых государей», «сударей», «ваших превосходительств» и проч. Ему нравилось, когда к нему обращались: «Товарищ Сталин». Это звучало просто, весомо и значительно. К тому же не давало забывать о дистанции по отношению к тому, к кому ты имеешь счастье обращаться.

Обращение к себе по имени-отчеству Сталин допускал лишь в виде редкого исключения, как правило, для близких к нему людей. С начала тридцатых годов, когда он утвердился в качестве единственного вождя, по имени его не смел называть уже никто.

Характерны пометки, сделанные Сталиным в декабре 1949 года на страницах пьесы В. Вишневского «Незабываемый 1919-й». Ему не понравилось, что в пьесе Ленин называет его по имени-отчеству, а он сам обращается к Ленину: «Владимир Ильич». Оба обращения были переделаны на «товарищ Сталин» и «товарищ Ленин», не укладывающиеся в нормальную устную речь, но зато лишенные панибратства и личностных интонаций, сразу подчеркивающие, что между собой разговаривают не обычные люди, а вожди.

Даже те члены Политбюро и Правительства, с которыми он встречался практически ежедневно, обращались к нему подчеркнуто официально: «Товарищ Сталин». Тем самым сохранялась дистанция, так как сам он называл их по имени или прозвищам (кличкам), многие из которых сам и придумывал. Сталин сделал общеупотребительным в партийной среде обращение на «ты» к нижестоящему, а также использование в служебных разговорах матерных слов. Но он всегда знал, в каких ситуациях можно это делать.

В первое время после революции официальные документы, под которыми стояла подпись Сталина, выпускались от имени «Иосифа Джугашвили — Сталина», но уже с 1918 года его подпись видоизменилась на более краткую — «И. Сталин». Именно так он с тех пор и до конца жизни подписывал все бумаги, как официальные документы, так и личные письма и записки.

У Сталина было много прозвищ. В среде заключенных — Усатый; среди кавказцев — Большеусый, Усатый; в чекистской среде — Папа, Хозяин, Иван Васильевич (Грозный); среди его охранников — Рябой; в среде военных — Верховный или Генералиссимус (иронически); в номенклатурной среде — Генеральный, Главный, Хозяин; среди интеллигенции — «лучший друг» детей, артистов, железнодорожников и т. д., Отец родной, Отец народов, Незабвенный, Кремлевский горец, Кремлевский сиделец и т. п. На Западе, особенно в США, с легкой руки Рузвельта его часто называли Дядюшка Джо.

Было немало и ругательных прозвищ: грузинское или дьявольское отродье, палач, ублюдок, усатое чудовище, тараканище и т. п., но их вслух произносить боялись — за это могли убить на месте. Поэтому при жизни Сталина наиболее употребительными его прозвищами были боязливо-уважительные: Хозяин и Вождь.

После утверждения в качестве единственного лидера и вождя партии и народа, начиная с середины тридцатых годов, Сталин нередко говорит о себе в третьем лице: «Товарищу Сталину об этом уже известно!», «Товарищ Сталин успел позаботиться об этом!», «Товарищ Сталин примет необходимые меры!». Часто пользовался безличными формами типа: «имеется мнение». Или же переходил на множественное число: «Нам здесь говорят», «Нас пытаются убедить», «Мы постараемся вам помочь», «У нас есть кое-какие возможности решить ваш вопрос», «Мы думаем, что этот вопрос можно решить» и, наконец, знаменитое и вошедшее в обиход выражение «Имеется мнение».

В своих выступлениях он без тени смущения говорил о сталинской конституции, сталинских пятилетках, сталинских соколах и т. д. Тем самым он как бы отделял себя, живого человека, от Вождя, ставшего символом страны, превратившегося в божество. Он мог даже пошутить по поводу бесчисленных изображений человека с усами.

В разговоре с Лионом Фейхтвангером, приехавшим по его приглашению в Москву в декабре 1936 года, на замечание последнего о безвкусном, преувеличенном преклонении перед его личностью, Сталин пожал плечами и извинил своих крестьян и рабочих тем, что «они были слишком заняты другими делами и не смогли в себе развить хороший вкус». Тем самым он как бы переключал славословия и поклонение с себя на успехи социализма, достижения страны. Народ это связывает с его именем — ну, что ж, так уж получилось, и лично он, Сталин, тут ни при чем.

Однако чужих шуток на этот счет он не терпел и не допускал.

ПУНКТ 2

Рождение и смерть

Официальная дата рождения И. Сталина, значащаяся во всех прижизненных биографиях, энциклопедиях и календарях, — 21 декабря (по старому стилю — 9 декабря) 1879 года. Именно в этот день торжественно отмечались 50-летний, 60-летний и 70-летний юбилеи вождя в 1929, 1939 и в 1949 годах, а также проводились последующие, уже посмертные торжества по случаю его рождения.

Но Сталин относился к тому типу людей, рядом с которыми сама истина кажется неправдоподобной. Сохранился ряд документов: копия выписки из метрической книги Успенского собора города Гори, где было зарегистрировано его рождение, свидетельство об окончании Иосифом Джугашвили Горийского духовного училища, книга со сведениями о воспитанниках Тифлисской духовной семинарии, полицейские протоколы о его задержаниях и т. д. Из них с очевидностью следует, что Иосиф Джугашвили, сын крестьянина города Гори, родился 6 декабря 1878 года.

Измененная дата рождения появилась в его документах в год избрания Сталина генеральным секретарем компартии. Не вызывает сомнений, что это произошло по его указанию. Неясно лишь, зачем

Сталину понадобилось помолодеть на год и поменять дату своего рождения. Указанное обстоятельство, как и многое другое в его жизни, окружено завесой тайны. О причинах этого можно лишь гадать.

Когда похожая история произошла с изменением года рождения его старшего сына Якова, там все было понятно — бабушка уговорила дьякона проставить другой год, чтобы отсрочить, хотя бы на год, призыв внука в армию. Но у Сталина подобной проблемы не было — он изменял дату рождения в зрелом возрасте. Можно также предположить, что сорокалетний Сталин решил уменьшить себе возраст из-за женитьбы на восемнадцатилетней Надежде Аллилуевой. Однако к 1922 году они давно женаты, и у них уже родился сын Василий. Так что и это предположение отпадает.

Достаточно обоснованным было бы и предположение об изменении даты рождения в связи со стремлением увязать ее со временем пребывания в Гори (1878 г.) известного географа и путешественника Пржевальского. Однако и эта версия мало правдоподобна, если учесть, что возникновение легенды об отцовстве Пржевальского относится к концу тридцатых годов.

Но что-то все-таки заставило его поменять год и дату рождения! Возможно, стремление все поменять в своем прошлом, о котором он так не любил вспоминать, когда стал вождем, а может быть, какое-то событие, о котором мы не знаем. Достоверно лишь одно: Сталин никогда и ничего не делал просто так. Если он намеренно изменил себе год и дату рождения, значит, для этого были серьезные причины.

Рискну предположить, что это было сделано Сталиным для того, чтобы стать самым молодым из членов тогдашнего Политбюро, управлявшего страной.

Именно тогда Сталин взял курс на достижение единоличного лидерства в партии и стране. Один из первых шагов в этом направлении он сделал в 1923 году, поставив вопрос о необходимости готовить смену старым партийным кадрам, омоложения руководящего ядра партии. Сталин понимал, что в своей борьбе за власть он не может опереться на старую большевистскую гвардию. Более того — именно в ней он видел главное препятствие на пути к достижению своей единоличной власти. Поэтому он и взял курс на молодых членов партии, пришедших в нее уже после революции. Отсюда возможное стремление и самому малость «помолодеть». Но, конечно, это только предположение. О подлинных мотивах изменения Сталиным года и даты своего рождения достоверно ничего не известно.

Год, в котором он родился (1878), ознаменовался для России победоносным окончанием войны с Турцией, что привело к освобождению балканских славян от турецкого ига и дало России существенные территориальные приобретения на Кавказе (часть Армении с крепостями Карсом и Батумом) и в Приднестровье (часть Бессарабии). В результате этой войны было образовано болгарское государство, а также признана независимость Сербии, Черногории, Румынии.

Исполнилась заветная мечта русских монархов — русские войска вновь были у стен Царьграда (Константинополя). Когда Сталин стал абсолютным властителем России и создавал свою империю, он вспомнил об этой идее. В частности, судьба Босфора и Дарданелл всерьез обсуждалась им на переговорах с Гитлером и Риббентропом, но сталинские притязания на эти проливы не нашли поддержки у собеседников.

Сталин родился именно в тот год, когда слава и авторитет России в европейских делах достигли своей высшей отметки. Это был год заключения Сан-Стефанского мирного договора и Берлинского конгресса, на которых Россия доминировала. Спустя 67 лет Сталин повторит этот успех на Ялтинской и Потсдамской конференциях.

Но какой ценой?!

В этом же году на всемирной выставке в Париже были показаны электрические свечи П. Яблочкова. Этот прообраз современных электрических лампочек был назван «русским светом».

Но не только победами и светом вошел в историю России этот год. Он ознаменовался также взрывом терроризма. Террористка В. Засулич тяжело ранила петербургского генерал-губернатора Ф. Трепова, а народоволец С. Кравчинский убил шефа жандармов Н. Мезенцева. Спустя три года террористами из «Народной воли» будет убит и Царь-Освободитель Александр II.

Рождение И. Сталина — самого кровавого и жестокого тирана в истории России — тоже не украсило этот год.

По восточному календарю Сталин родился в год Тигра, его знак зодиака — Стрелец. Стрелец — девятый знак Зодиака, изображаемый в виде кентавра, в руках которого натянутый лук со стрелой. Кентавры — мифические существа, полулюди, полукони, обитающие в горах и лесных чащах. Стрела Стрельца направляется человеческой рукой, но приводится в движение животной силой. Животные инстинкты в Стрельце соседствуют с развитым интеллектом, врожденным ощущением порядка, власти и авторитета.

Покровитель Стрельца Зевс — всемогущий владыка Олимпа, по своему усмотрению распределяющий блага и наказания, устанавливающий порядок во Вселенной, черпающий из сосудов добра и зла.

Стрелец, рожденный в год Тигра, агрессивен, жесток, импульсивен, его честолюбивые замыслы не знают пределов.

Однако все это лишь возможности, заложенные природой. Какие из них как разовьются и проявятся — зависит от семейного воспитания, окружения, образа жизни и т. д. Какие черты личности, позитивные или негативные, проявятся в жизни человека, во многом зависит от него самого. Сталин может служить образцом негативного Стрельца с повадками Тигра. Он стал олицетворением абсолютного зла и создал империю зла, в атмосфере которого более трех десятилетий жили и умирали сотни миллионов людей.

Родился Сталин в городе Гори Тифлисской губернии. По тогдашнему административно-территориальному делению Российской империи Гори был захолустным уездным, по советской терминологии — районным, городом с населением около 7 тысяч жителей.

Гори (от грузинского «гори» — холм, гора) расположен в живописной местности при впадении рек Лиахвы и Меджуды в главную реку Грузии — Куру. Город находится в 72 км от Тбилиси. Он раскинулся у подошвы горы, на которой сохранились остатки древней крепости Горисцихе. Удобное расположение города на перекрестке торговых дорог привлекало к нему завоевателей. В разное время им владели персы и турки. Торговый характер города обусловил смешанный национальный состав населения. Это были грузины, армяне, осетины, евреи, русские, которые занимались главным образом торговлей и ремеслами, земледелием и виноградарством.

Гори второй половины XIX века можно было назвать городом лишь с большой долей преувеличения. Это скорее был поселок городского типа с одной по-настоящему городской улицей, застроенной официальными и торговыми зданиями, церквями и каменными особняками богатых горийцев. Единственным учебным заведением профессионального характера в Гори того времени было духовное училище, куда мать и определила Сосо, решив во что бы то ни стало вырвать его из нищей и вечно пьяной среды, в которой проходила жизнь его отца. Она хотела видеть сына священником, живущим достойной жизнью, уважаемым согражданами.

Спустя десятилетия, когда ее сын уже стал Сталиным — полновластным хозяином страны, она однажды при встрече с ним пожалела о том, что он не стал священником. По-видимому, мать горевала об этом всю жизнь, видя вокруг горе и страдания, которые принесла людям новая власть, возглавляемая в далекой Москве ее сыном.

За годы советской власти город значительно вырос. В нем были построены консервный и винодельческий заводы, большой хлопчатобумажный комбинат, приборостроительный завод и ряд других небольших предприятий. Население Гори увеличилось до 50 тысяч человек. В городе были открыты педагогический институт, сельскохозяйственный техникум, медицинское и музыкальное училища, драматический театр.

Главной достопримечательностью современного Гори является Дом-музей И. Сталина и самый большой из сохранившихся памятников «вождю народов», хотя лично Сталин при жизни не проявлял особой заботы о городе своего детства.

Гори сегодня снова стал уездным центром независимой Грузии, переживающим вместе со всей страной все трудности переходного периода.

Официальная дата смерти: 5 марта 1953 года.

Есть времена, вошедшие в историю как «год смерти такого-то». Так, 1837 год ассоциируется в нашей памяти только со смертью Пушкина, а 1924 год — со смертью Ленина, хотя они были отмечены и другими исторически значимыми событиями. Точно так же 1953 год — год смерти Сталина. Все остальное, происшедшее в тот год, как, например, окончание корейской войны, померкло перед этим событием, которое сказалось на жизни всего человечества, открыло новую эпоху не только в международной политике, но и в повседневной жизни миллионов людей, прежде всего, конечно, в странах созданного им социалистического концлагеря.

В Советском Союзе о кончине вождя было официально объявлено по радио — телевидения тогда еще не было — утром 6 марта. Было сообщено, что Сталин умер 5 марта 1953 года в 21 час 50 минут, хотя во всех предыдущих сообщениях по радио, включая и вечерние, и в печати за 5 марта говорилось лишь о болезни вождя и давалась медицинская информация о состоянии его здоровья. 5 марта стало официальной датой смерти Сталина. Однако вокруг его болезни и смерти ходило так много слухов и предположений, и существует множество расхождений в воспоминаниях очевидцев. Поэтому нельзя исключить и более раннюю дату фактической смерти Сталина.

Согласно документам и воспоминаниям очевидцев, тяжелейший инсульт поразил Сталина в ночь на 1 марта 1953 года, после чего в высшем руководстве страны наступила сначала паника, а затем началась ожесточенная борьба вокруг опустевшего престола. Как бояре в годину смерти Бориса Годунова, боясь народных волнений, скрывали несколько дней факт смерти царя, так и ближний круг подручных Сталина не был заинтересован в объявлении о его смерти до тех пор, пока не будет поделено наследство и определены преемники. Однако достоверных данных на сей счет нет, и сегодня это обстоятельство не имеет такого уж большого значения.

Из воспоминаний С. Аллилуевой:

Отец умирал страшно и трудно. Лицо потемнело, изменилось... Черты лица становились неузнаваемы. Агония была страшной, она душила его пря-

мо на глазах... В какой-то момент — не знаю, так ли на самом деле, но так казалось — очевидно в последнюю уже минуту, он вдруг открыл глаза и обвел ими всех, кто стоял вокруг. Это был ужасный взгляд — то ли безумный, то ли гневный и полный ужаса перед смертью. Взгляд этот обошел всех в какую-то долю минуты. И тут... он вдруг поднял кверху левую руку и не то указал куда-то вверх, не то погрозил всем нам... И в следующий момент душа, сделав последнее усилие, вырвалась из тела.

Известие о смерти Сталина в Советском Союзе и в мире было встречено по-разному. Немало людей в стране восприняло это известие как личную трагедию и потерю. Многие были в растерянности — как жить дальше без мудрого руководства вождя? Иосиф Бродский по этому поводу сказал: «Я сомневаюсь, что в мире был убийца, о котором плакали бы так много». Но еще более точной была реакция Анны Ахматовой: «Наркоз пройдет!»

Когда телевидение передавало кадры прощания северокорейцев с престарелым диктатором Ким Ир Сеном, это живо напомнило мне подобные сцены, происходившие в нашей стране в дни прощания со Сталиным, очевидцем которых мне довелось быть. Ничего, кроме чувства острого стыда за рабскую покорность народа жесточайшему тирану и жалости к этим людям, ни тогда (в 1953 году), ни теперь, испытывать было нельзя.

Однако нельзя и забывать, что среди оплакивавших смерть диктатора было множество людей, которые делали это, чтобы не выделяться, не отличаться от других, но никаких иных чувств, кроме страха и ненависти к нему, они испытывать просто не могли. Это в первую очередь родственники и близкие миллионов репрессированных за годы правления Сталина. Я не говорю уже о миллионах заключенных, воспринявших известие о смерти тирана и палача как предвестие их скорого освобождения. Их реакция на смерть Сталина была простой: туда ему и дорога!

Не нужно обладать сильным воображением, чтобы представить, как отреагировали на это событие миллионы людей, испытавших на себе все тяготы насильственного переселения и лишения родного дома только за то, что они были крымскими татарами, ингушами, карачаевцами, чеченцами и т. д. С громадным, но тайным чувством облегчения узнали о смерти Сталина евреи, против которых в последние годы его жизни развернулась невиданная по размаху кампания государственного антисемитизма; медики, которые повсюду оказались под подозрением в связи с пресловутым делом врачей, в каждом из которых под влиянием развернувшейся в печати кампании обыватели видели тогда «убийц в белых халатах».

Но и те, кто искренне рыдал в день его смерти, не могли не испытать тайного облегчения. Слишком тяжела была длань тирана даже для тех, для кого рабское существование стало нормальным, привычным состоянием жизни.

Постоянно говоря о классовом обществе, классовых противоречиях, классовой борьбе, Сталин сумел создать уникальное бесклассовое общество, поделенное на две категории: заключенных и тех, кто временно был на свободе. Разница в условиях их повседневной жизни, конечно, существовала, но, в принципе, те и другие делали одно дело: строили заводы и железные дороги, рыли каналы, создавали новое оружие, добывали руду и уголь, выплавляли сталь и т. д. В этом обществе никто, включая даже самых известных и влиятельных лиц, не был застрахован от перехода из одного состояния в другое.

Получили широкую известность слова Н. Булганина о том, что «когда едешь к Сталину, не знаешь, куда от него попадешь — в тюрьму или домой».

Поэтому даже номенклатура, жившая лучше других, но в постоянном страхе за свое благополучие, не могла не испытывать облегчения от смерти всесильного диктатора, который поддерживал в их душах состояние непрерывного страха и неуверенности в завтрашнем дне.

Конечно, всеобщим было ожидание перемен, надежды на изменения к лучшему, окрашенные тревогой за завтрашний день. Напомню старую восточную притчу. В день смерти тирана все радуются этому событию, и лишь одна пожилая женщина оплакивает его смерть. На вопрос, почему она плачет — ведь пришло избавление, женщина отвечает: «Я оплакиваю умершего, потому что не знаю, каким будет следующий правитель — не будет ли он более жестоким, чем тот, кто умер?»

В остальном мире смерть Сталина также была воспринята и оценивалась по-разному. В одних странах — США, Франции, Китае, Великобритании и др. — в связи со смертью Сталина был объявлен официальный траур и приспущены государственные флаги. Правительства других выразили официальное соболезнование. В то же время многие известные писатели, ученые, политические деятели Запада публично протестовали против этого, считая, что аморально устраивать траур по тирану. В общем же ни особой горести, ни особой радости известие о его смерти в мире не вызвало.

Скорее возникла озабоченность последствиями этого события и тем, чтобы преемник, наследник его поста, не оказался бы хуже предшественника. Вопрос о том, кто сменит Сталина в руководстве СССР, больше всего волновал мировое общественное мнение. Мир еще не забыл вклада Советского Союза в победу над фашизмом, а Сталин был символом этой победы. Как написал один из биографов Сталина, французский журналист Жорж Бортоли: «На Западе никто не понял вначале значения смерти одного этого человека. Они представить себе не могли, какую роль он играл в жизни СССР — что он действительно управлял абсолютно всем, включая вопрос о жизни и смерти. Большинство людей на Западе воспринимало его как великого политического деятеля по образцу собственных руководителей, которые часто менялись и просто не могли играть той роли, которую играл в жизни Советского Союза Сталин»[1].

К моменту смерти Сталина мир был охвачен холодной войной, продолжавшейся в разных формах вплоть до крушения коммунистической системы в 1990—1991 годах. Но, как это ни покажется странным сегодня, в то время очень многие западные политические деятели, политологи и журналисты возлагали вину за происходящее не столько на Сталина, сколько на его окружение. К самому Сталину отно-

---

[1] Цит. по: *G. Bortoli*. Mort de Staline, 1973.

сились с уважением, его боялись, но считали менее опасным, чем его возможных более молодых преемников из партийной верхушки или генералитета.

Возраст и опыт Сталина казались надежной гарантией от каких-либо авантюр. Знали бы они, что именно в это время Сталин начал интенсивную подготовку к новой войне, которая, по его мнению, должна была принести окончательную победу социализма во всем мире. Об этом красноречиво свидетельствует его речь на последнем для него XIX съезде Коммунистической партии (1952 г.), в которой он говорил о готовности оказать помощь братским народам Западной Европы в освобождении их от капиталистического рабства. Об этом же он пишет в своей последней книге «Экономические проблемы социализма в СССР», изданной к XIX съезду партии в сентябре 1952 года: «Чтобы устранить неизбежность войн, нужно уничтожить империализм»[1]. Этого ленинского положения о неизбежности войн, пока существует империализм, Сталин придерживался до конца жизни. Более того, для него это была не просто теоретическая доктрина, а руководство к действию, оправдание подготовки новой войны.

Создание термоядерного оружия не стало для Сталина непреодолимым фактором, исключающим возможность новой мировой войны. Поэтому после окончания Второй мировой войны, когда он почувствовал себя хозяином в Европе, Сталин постоянно провоцирует конфликты в разных уголках мира: гражданскую войну в Греции, насильственную боль-

---

[1] *И. Сталин.* Экономические проблемы социализма в СССР. — М., 1952, с. 36.

шевизацию государств Центральной и Восточной Европы, оккупированных Красной Армией, конфликт с Югославией, поддержка гражданской войны в Китае и, наконец, корейскую войну. Опьяненные победой над Германией и Японией, сталинские маршалы и генералы уже подсчитывали, за сколько дней их танки дойдут до Ла-Манша.

Мысль о необходимости и реальной возможности уничтожения империализма, т. е. о развязывании третьей мировой войны, не оставляла Сталина до самой смерти. Уже давно, с середины тридцатых годов, его называли не иначе как вождем мирового пролетариата. Для Сталина это было не просто фигуральное выражение, а конкретная цель, означающая необходимость действий по приближению мировой революции и полному уничтожению капиталистического мира.

Первым этапом подготовки к новой войне стали массовые чистки и репрессии внутри страны и в других странах социалистического лагеря. Сначала Сталин хотел создать себе надежный тыл.

Смерть диктатора предотвратила сползание человечества к новой мировой войне, которая стала бы неизбежной, проживи он еще несколько лет. Как известно, пробным камнем столкновения с западным миром стала для Сталина корейская война. После его смерти международная атмосфера резко изменилась. Преемники Сталина взяли на вооружение лозунг мирного сосуществования социализма и капитализма, а также идею борьбы народов за мир, которая способна предупредить новые войны.

Достаточно напомнить, что вскоре после смерти Сталина корейская война была прекращена и заключено перемирие, действующее до сих пор. Без всякого преувеличения можно утверждать, что смерть Сталина снизила опасность ядерной войны, которая к тому моменту стала весьма реальной.

Похороны Сталина превратились в нескончаемую демонстрацию сотен тысяч людей, движимых сложной смесью острого любопытства и тайного страха, невозможности поверить в смерть обожествленного в народном сознании вождя и желания его увидеть хотя бы и в гробу — редчайшая возможность для простых смертных. Церемония прощания из-за плохой организации превратилась в новую Ходынку. Вследствие невероятной давки в толпе было множество жертв, затоптанных или раздавленных в этом бесконечном потоке людей, устремившихся к Колонному залу Дома союзов, где было выставлено для прощания тело умершего вождя.

На совместном заседании Пленума ЦК КПСС, Совета Министров СССР и Президиума Верховного Совета СССР принимается решение поместить тело Сталина в мавзолей В. И. Ленина рядом с останками предыдущего вождя мирового пролетариата.

Из решения Правительственной комиссии по организации похорон, которую возглавлял Г. Маленков: «Тело товарища Сталина должно быть положено в гроб в военной форме, на кителе прикрепить медали Героя Советского Союза, Героя Социалистического Труда, а также планки к орденам и медалям»[1]. Было

---

[1] Протокол № 1 заседания Комиссии по организации похорон тов. Сталина. Цит. по: Э. *Радзинский*. Сталин. — М.: АСТ, 2007.

решено также подготовить проект постановления о строительстве пантеона для Сталина.

Сталин и после смерти остался верен себе. Он переселил полстраны в коммунальные квартиры и Мавзолей Ленина сделал своеобразным общежитием.

В тот момент казалось, что теория двух вождей, упорно создававшаяся Сталиным в течение всей жизни — Сталин это Ленин сегодня! — получила высшее признание и достойное завершение.

Но ненадолго!

Десталинизация страны началась буквально на следующий день после смерти Сталина. Центральный орган компартии газета «Правда», которая раньше не печатала ни одной статьи без упоминания имени Сталина, а в некоторых публикациях его имя упоминалось десятки и сотни раз и всегда с восторженными эпитетами, — вдруг перестала это делать. Ссылки на Сталина исчезли из ее передовиц, а затем и вообще.

На тринадцатом томе было прекращено печатание собраний сочинений Сталина. Появились публикации о марксистско-ленинском понимании роли личности в истории, а затем в оборот вошел и термин «культ личности».

В связи с разоблачениями сталинских преступлений со временем был поставлен вопрос и о необходимости выноса из Мавзолея и перезахоронения набальзамированного трупа Сталина. В 1961 году разоблачения сталинизма на XXII съезде КПСС завершились принятием следующего постановления: «Признать нецелесообразным дальнейшее сохранение в Мавзолее саркофага с гробом И. В. Сталина, так как серьезные нарушения Сталиным ленинских заветов, злоупотребления властью, массовые репрессии против честных советских людей и другие действия в период культа личности делают невозможным оставление гроба с его телом в Мавзолее В. И. Ленина»[1].

Это решение было принято 29 октября 1961 года, а уже через день тело Сталина было переложено из саркофага со специальным режимом, обеспечивающим сохранность останков, в деревянный, обитый красной материей гроб. Сталин в Мавзолее лежал в мундире генералиссимуса со всеми своими наградами. Руководство всей операцией перезахоронения осуществлял П. Демичев — один из секретарей ЦК. Перед перезахоронением по указанию Президиума ЦК с мундира были срезаны погоны золотого шитья, золотые пуговицы с бриллиантами, сняты награды, содержащие золото и платину. Все это было сдано затем по описи в Гохран. Тело втихую, без свидетелей — Красная площадь в момент перезахоронения была оцеплена — вечером 31 октября 1961 года было захоронено в спешно вырытой могиле у Кремлевской стены. Над могилой был установлен поясной бюст Сталина из серого гранита. Сталин лег рядом с видными деятелями партии и революции, которых он в свое время приговорил к смерти.

Пока происходило перезахоронение, Красная площадь была закрыта для посещения, но уже на следующий день доступ к могиле Сталина был открыт,

---

[1] Текст Постановления XXII съезда КПСС. Цит. по: Федеральный портал История. РФ. http://histrf.ru/ru/lenta-vremeni/event/view/xxii-siezd-kpss.

и на ней появились цветы. Его подручные и жертвы не забывают о своем хозяине и спустя десятилетия.

В свете последних событий можно сказать, что судьба к Сталину была более милостива, чем к Ленину, чья никому уже давно не нужная мумия продолжает сохраняться в Мавзолее, порождая бесконечные дискуссии о том, нужно или не нужно предавать ее земле. После того как правда, хотя и далеко не полная, о тяжких преступлениях Сталина перед страной и народом была озвучена, раздавалось немало суждений о недопустимости сохранения могилы Сталина и у Кремлевской стены, рядом с другими выдающимися деятелями революции и мирового коммунистического движения. Предлагалось, в частности, захоронить его останки на родине в Грузии, в городе Гори. До сих пор в Грузии существует немало поклонников Сталина, которые продолжают требовать перезахоронения его праха на родине.

Нельзя не вспомнить и об инициативе тогдашнего главы Русской православной церкви патриарха Алексия II, предложившего ликвидировать погост, созданный в советское время на главной площади в столице страны. Тиранам никогда не бывает спокойно при жизни, нет покоя им и после смерти.

Кто-то сказал, что великие люди умирают дважды: сначала — как люди, потом — как великие. Так случилось и со Сталиным. После своей смерти он умирал неоднократно в памяти людей как Великий вождь всех народов, Учитель и Отец, Великий кормчий и Корифей всех наук и т. д. Более того, процесс его умирания как великого человека продолжается до сих пор, перемежаясь с периодами оживления и воскресения. В отличие от Христа Сталина воскрешали многократно. Да и сегодня есть немало людей, которым грезится усатый человек с трубкой. Он вернется и наведет порядок в стране.

Об обстоятельствах смерти Сталина ходило много слухов и предположений. По мнению многих авторов, писавших о его смерти, он умер не естественной смертью, а был убит в результате заговора. Например, для А. Авторханова, автора книги «Загадка смерти Сталина», тайна состоит не в том, был ли он умерщвлен, а в том, как это произошло. Другие, например дочь Сталина С. Аллилуева, считают, что у Сталина был удар. Но ему помогли умереть тем, что оставили в этом состоянии без врачебной помощи в течение даже не двенадцати часов, а более суток. Существует, наконец, и официальная версия о том, что Сталин «умер от кровоизлияния в мозг (инсульт), ... принятые энергичные меры лечения не могли дать положительного результата и предотвратить роковой исход»[1].

Точного ответа на вопрос, была ли смерть Сталина естественной или он был убит, по-видимому, дать невозможно. Имеющиеся на сегодняшний день материалы и свидетельства очевидцев не дают оснований для отрицания или допущения обоих возможностей. Однако с большой долей вероятности можно предположить, что Сталину помогли уйти из жизни. История свидетельствует — тираны редко умирают собственной смертью.

---

[1] Цит. по: *А. Авторханов.* Загадка смерти Сталина. — Посев, 1986.

События, которые происходили в тот период в стране, лишь подтверждают версию о возможности заговора и устранения Сталина с политической арены. Ленинградское дело, антисионистское дело[1], мингрельское дело и, наконец, дело врачей, сопровождавшиеся шумными кампаниями в печати по разоблачению новых врагов народа, — все это говорило о приближении новой волны больших чисток, аналогичной по размаху событиям 1937 года.

В связи с раскрытием в январе 1953 года органами государственной безопасности террористической группы врачей, «ставивших своей целью путем вредительского лечения сократить жизнь активным деятелям Советского Союза»[2], вновь была поднята на щит сталинская теория врагов народа, по которой «успехи социализма ведут не к затуханию, а к обострению борьбы, что чем усиленнее будет наше продвижение вперед, тем острее будет борьба врагов народа»[3]. Опасность уничтожения нависла над всеми соратниками Сталина по Политбюро, которых он стремился отодвинуть от власти, выдвинув публичные обвинения против Молотова, Ворошилова, Кагановича, Микояна в шпионаже, двурушничестве и других прегрешениях. По всем признакам Сталин собирался разделаться также с Берией, Маленковым, Хрущевым и другими членами Политбюро со стажем, заменив их новыми выдвиженцами, как это

---

[1] Автор, вероятно, объединяет в одно «антисионистское дело» три репрессивные кампании 1948—1953 гг., направленные против евреев: Кампанию по борьбе с космополитизмом, «дело ЕАК» и «дело врачей». — *Прим. ред.*

[2] Газета «Правда», 1953, 13 января.

[3] Там же.

однажды было им проделано в период репрессий 1935—1938 годов.

Ниже приводятся выдержки из знаменитого доклада Н. Хрущева XX съезду партии о культе личности Сталина, в которых прямо говорится об этом:

«Сталин, очевидно, намеревался покончить со всеми старыми членами Политбюро. Он часто говорил, что члены Политбюро должны быть заменены новыми людьми».

«Сталин думал, что теперь он может решить все один, и все, кто ему еще были нужны, — это статисты, со всеми остальными он обходился так, что им только оставалось слушаться и восхвалять его».

«Можно предположить, что это было также намерением в будущем ликвидировать старых членов Политбюро и таким образом скрыть все те постыдные действия Сталина, которые мы теперь рассматриваем»[1].

Логично предположить, что именно эти «старые члены Политбюро», движимые инстинктом самосохранения, и образовали заговор против Сталина. Они боялись и ненавидели его, но одновременно преклонялись перед ним. Он умел подчинять себе людей и играть их судьбами. К этому времени у Сталина не осталось не только критиков, но и оппонентов. Никто не смел вслух ему противоречить, зная злопамятность и безжалостность вождя. Даже помыслить о возможности заговора против него или его устранении было смертельно опасным делом.

---

[1] Цит. по: *Н. С. Хрущев.* «О культе личности и его последствиях. Доклад на закрытом заседании XX съезда КПСС». — Госполитиздат, 1959, с. 18, 58.

Однако Сталин многому научил своих соратников, а точнее — своих подручных, своих выучеников. Они все были сталинского разлива, они все прошли его школу. И у них не было выбора. Они знали, что всех их ждет судьба ленинского окружения, уничтоженного Сталиным один за другим. Никто из соратников Ленина не сумел вовремя раскусить Сталина, возглавить заговор против него и устранить его.

Соратники Сталина смертельно боялись его и тоже были неспособны замыслить что-либо против него. Достаточно напомнить, что и Молотов, и Маленков, и Каганович, и Ворошилов оставались убежденными сталинистами до самой смерти, т. е. и после разоблачений сталинских преступлений. Но был среди членов Политбюро один, кто оказался хитрее, проницательней, умнее и, в конечном счете, сильнее стареющего вождя. К тому же в его руках в тот момент была сосредоточена вся власть над органами безопасности, которые были стержнем созданной Сталиным системы. Имя его Лаврентий Павлович Берия — заместитель Сталина в правительстве и член Политбюро, ведавший («курировавший» по номенклатурной терминологии) вопросами государственной безопасности.

Именно он смог медленно, но верно убрать руками самого Вождя по-собачьи преданных ему помощников из личного, так называемого внутреннего секретариата Сталина (Поскребышева и других), из его личной охраны (генерала Власика и других охранников со стажем) и, наконец, его личного врача, профессора В. Виноградова, арестованного по пресловутому делу врачей. Это были люди из ближнего круга, которые десятилетиями — некоторые, как, например, Власик, еще со времен Гражданской войны — верно служили Сталину и прошли с ним вместе через все испытания. Пока они окружали Сталина, подобраться к нему было практически невозможно. Если вспомнить про невероятную подозрительность Сталина и то, что в последние годы жизни он практически не появлялся на людях, то задача его устранения становилась вообще реально неосуществимой.

Сначала нужно было устранить его окружение, заменив его другими, преданными Берии людьми, после чего появилась возможность решения главной проблемы. Для достижения своих целей Берия использует маниакальную подозрительность Сталина, который воспринимал с доверием всякую информацию, порочащую любого, поскольку никому и никогда не доверял. Берия знал, что негативную информацию Сталин не проверяет — достаточно лишь, чтобы она внешне выглядела убедительной. Например, Берия докладывает Сталину, что англичанам стали известны секретные сведения по вопросу, недавно обсуждавшемуся в узком кругу у Сталина. Документ, содержащий эти сведения и хранящийся в сейфе у секретаря Сталина Поскребышева, бесследно исчез.

Естественная реакция Сталина — арестовать Поскребышева как английского шпиона. По воспоминаниям Н. Хрущева, Сталин так объяснял его арест: «Я уличил Поскребышева в утере секретного материала. Никто другой не мог это сделать. Утечка секретных документов шла через Поскребышева. Он выдал секреты»[1].

А. Н. Поскребышева арестовали уже после смерти Сталина. А вот Н. С. Власика, В. Н. Виноградова, а также начальника Лечебно-санитарного управления Кремля П. Егорова и других лиц из окружения Сталина — еще раньше, в октябре-декабре 1952 года. Их даже не успели расстрелять до момента смерти Сталина, но занимаемые ими места в его ближайшем окружении были освобождены и немедленно заняты проверенными и преданными Берии и Маленкову людьми. Их же человеком был и С. Игнатьев — единственный из министров госбезопасности сталинского периода, который умер своей смертью, а не был расстрелян, как его предшественники Ягода, Ежов, Меркулов, Абакумов, Берия. С этого момента — с декабря 1952 года — Сталин оказался в полной изоляции, окруженный людьми Берии и в полной зависимости от него.

Однако сам Сталин мог об этом только догадываться и втайне готовил новую большую чистку кадров, которую собирался начать с устранения в первую очередь «большого мингрела», как иронически он называл Берию.

Первый ход в этой последней партии был сделан Сталиным. 13 января 1953 года в «Правде» публикуется «Хроника ТАСС» — именно под таким заголовком в сталинское время давались сообщения о важнейших событиях жизни страны — о раскрытии органами госбезопасности «террористической группы

---

[1] *Nikita Khrushchev.* Khrushchev Remembers. Vol. 1, p. 292. Цит. по: *А. Авторханов.* Указ. соч.

врачей, ставивших своей целью путем вредительского лечения сократить жизнь активным деятелям Советского Союза. Арестованные «врачи-вредители» признались, что они работали по заданию иностранных разведок — американской и английской — и сионистов из «Американского еврейского распределительного комитета» («Джойнт»), поскольку подавляющее большинство из них были евреями. Они якобы умертвили путем вредительского лечения секретарей ЦК Жданова и Щербакова, хотели убить маршалов Василевского, Говорова и Конева, генерала Штеменко, адмирала Левченко. В передовой статье «Правды», опубликованной в этом же номере, недвусмысленно говорится о вдохновителях этих наймитов-убийц, об органах безопасности, не вскрывших вовремя этой вредительской, террористической организации врачей, о некоторых советских органах и их руководителях, которые потеряли бдительность, заразились ротозейством и т. д. и т. п.

Люди, посвященные в кремлевские интриги, поняли, что этими публикациями дан сигнал о большой чистке, началась новая волна охоты на врагов. Последующие публикации в «Правде» в течение всего января лишь нагнетают атмосферу психоза по поводу поисков врагов народа, призывают всех к бдительности и напоминают о недавних разоблачениях шпионов, вредителей, диверсантов в Советском Союзе и странах народной демократии. Резко возрастает открытая антисемитская пропаганда.

Для окружения Сталина пришла пора действовать, если они не хотели быть уничтоженными. Конечно, никаких документальных свидетельств о заговоре против Сталина не сохранилось, да их и не могло быть. Судить о событиях, происходивших в январе-марте 1953 года и приведших к смерти Сталина, можно лишь по свидетельствам современников и по фактам, косвенно подтверждающим ту или иную версию смерти Сталина.

Смертельная болезнь Сталина началась после ночного ужина, в ночь с 28 февраля на 1 марта, на «ближней» даче в Кунцеве. Как известно, по ночам Сталин обычно не спал. Кто объясняет эту его особенность боязнью покушений, которые чаще всего совершаются ночью, кто видит в этом физиологические особенности его организма. Однако, как бы то ни было, именно по ночам — обыкновенно после 22 часов и до 5—6 часов утра — Сталин устраивал ужины для своих приближенных.

Вот как описывает подобные застолья С. Аллилуева:

«Застолья последних лет в Сочи и в Кунцеве были многолюдными и пьяными. Отец пил немного, но ему доставляло удовольствие, чтобы другие пили и ели, и по обычной русской привычке гости скоро «выходили из строя». Обычно в конце обеда вмешивалась охрана, каждый «прикрепленный» уволакивал своего упившегося «охраняемого».

Разгулявшиеся вожди забавлялись грубыми шутками, жертвами которых чаще всего были Поскребышев и Микоян, а Берия только подзадоривал отца и всех. На стул неожиданно подкладывали помидор или кусок торта и громко ржали, когда человек садился на него. Сыпали ложкой соль в бокал с вином, смешивали вино с водкой. Отец обычно сидел, посасывая трубку и поглядывая, но сам ничего не делал»[1].

В последнем ужине Сталина принимали участие его обычные сотрапезники последних лет: Берия, Маленков, Булганин и Хрущев. По воспоминаниям Н. Хрущева, Сталин был в хорошем настроении, и они провели веселый вечер. Как обычно, застолье продолжалось до 5—6 часов утра. У Сталина, когда сотрапезники уезжали, по их воспоминаниям, не было никаких признаков какого-либо физического недомогания. Но на следующий день, вопреки обыкновению, он никого к себе не вызвал и не звонил. Лишь во второй половине дня 1 марта охрана Сталина сообщила о том, что со Сталиным что-то случилось — он никого не вызывал, не потребовал завтрака и не подает признаков жизни. Учитывая, что комнаты, в которых ночевал Сталин, запирались и отпирались только изнутри, возникла проблема проникновения к нему. К тому же входить в апартаменты вождя без его вызова было строжайше запрещено.

Лишь после 22 часов 1 марта, когда из ЦК доставили пакет для Сталина, дежурный офицер охраны Лозгачев осмелился приблизиться к его комнате. На стук никто не отвечал. В замочную скважину Лозгачев увидел, что Сталин лежит на полу около стола.

Он позвал других охранников. Чтобы проникнуть в комнату, пришлось снять с петель тяжелую бронированную дверь. Сталина подняли с пола и перенесли на диван. Он был в сознании, но говорить не

---

[1] *С. Аллилуева.* Только один год. — Нью-Йорк, Harper & Row, 1969, с. 333—334.

мог. Лишь около двух часов ночи по вызову встревоженной охраны приехали Берия и Маленков, которые вошли в комнату Сталина, после чего приказали охране никого не тревожить и не беспокоить Сталина, находившегося в «таком непрезентабельном состоянии» (по словам Н. Хрущева). Затем они уехали, не вызвав врачей и не проявив никакого беспокойства по поводу состояния Сталина, который находился в глубоком, но необычном сне[1]. Уже сутки Сталин был без медицинской помощи.

Подобное поведение ближайших к вождю соратников объяснить трудно, особенно если учесть, что они знали о нелюбви Сталина лечится и об отсутствии дежурного медперсонала на даче. Остается предположить, что оставление Сталина без медицинской помощи было им на руку, входило в их планы.

По многим свидетельствам, Сталин в последние годы жизни при недомоганиях предпочитал старый кавказский способ лечения — выпивал бутылку красного вина, надевал на голову горную папаху из овечьего меха и ложился спать. Из-за своей мнительности и боязни покушений Сталин избегал обращаться к врачам, поэтому на даче в Кунцеве не было ни постоянного медперсонала, ни медикаментов. В результате первую врачебную помощь ему 1 марта оказал офицер охраны с образованием ветеринарного фельдшера.

Только на второй день, когда охрана и обслуга на кунцевской даче стали настоятельно требовать вызова врачей к умирающему Сталину, на даче поя-

_____
[1] *Nikita Khrushchev.* Khrushchev Remembers. Vol. 1, pp. 340—342. Цит. по: *А. Авторханов.* Указ. соч.

вились, как вспоминала С. Аллилуева, «незнакомые врачи, впервые увидевшие больного, которые ужасно суетились вокруг»[1]. Но появились они лишь тогда, когда исход был предрешен и помочь больному было уже невозможно.

Правительственное сообщение о болезни Сталина было опубликовано только 4 марта. В нем говорилось о том, что «в ночь на 2 марта у товарища Сталина, когда он находился в Москве на своей квартире, произошло кровоизлияние в мозг, товарищ Сталин потерял сознание. Развился паралич правой руки и ноги. Наступила потеря речи». Для лечения Сталина была создана специальная комиссия из восьми врачей — профессоров и академиков! — во главе с только что назначенным министром здравоохранения СССР Третьяковым.

В этом сообщении искажено все: и дата, и место, и ход болезни Сталина. Воспоминания С. Аллилуевой, Н. Хрущева и многочисленные свидетельства других очевидцев позволяют уверенно сделать такой вывод. Другой вопрос: зачем понадобились эти искажения в официальном правительственном документе? Было ли это вызвано неизбежным переполохом, возникающим в окружении тирана при приближении его смерти, или желанием замести следы, сообщая заведомо искаженные сведения о последних днях его жизни? Теперь этого уже никто не узнает, но почву для различных предположений подобные факты несомненно дают. Как и то обстоятельство, что в официальном извещении о смерти Сталина сообщалось,

---

[1] С. *Аллилуева*. Двадцать писем к другу. — Нью-Йорк, Harper & Row, 1967, с. 7.

что он скончался 5 марта в 21 час 50 минут. Из не менее официальных документов — опубликованного стенографического отчета Пленума ЦК КПСС от 2—7 июля 1953 года, посвященного делу Берии («Известия ЦК КПСС» за 1991 год, № 1—2) — видно, что 5 марта 1953 г. состоялось совместное заседание Пленума ЦК КПСС, Совета Министров СССР, Президиума Верховного Совета СССР, которое продолжалось с 20 часов до 20 часов 40 минут. На заседании приняты решения по организационным вопросам: о Председателе и первых заместителях Председателя Совета Министров СССР и его составе, о Председателе и секретаре Президиума Верховного Совета СССР, об объединении ряда министерств и назначении министров, о председателе Госплана СССР и председателе ВЦСПС, а также о составе Президиума и секретарей ЦК КПСС.

Постановление по результатам этого заседания было опубликовано в «Правде» и других газетах 7 марта 1953 года без указания даты его проведения. Именно на этом заседании Маленков был назначен Председателем Совета Министров, а Хрущев получил его место первого секретаря ЦК компартии. Берия же, оставшись в должности первого заместителя председателя правительства, получил дополнительно пост министра объединенного Министерства внутренних дел и госбезопасности, т. е. сосредоточил в своих руках реальную власть в государстве. Он собирался править страной за спиной Маленкова, который был бы послушным фигурантом в его руках. Сомнений в этом возникать не могло — достаточно вспомнить безвольное, по-бабьи расплывшееся лицо

Маленкова, у которого в кругу членов Политбюро была кличка Маланья. Если этого не произошло, то только по причине всеобщего страха и ненависти, которые вызывал у всех, даже членов Политбюро, сталинский обер-палач Берия.

Приведенный факт дает богатую пищу для размышлений. Либо Сталин к моменту этого заседания был уже мертв и его подручные приступили к дележу открывшегося наследства власти над страной, что наиболее вероятно. Либо смерть Сталина еще не наступила, но его окружение поспешило поделить еще не открывшееся наследство, чтобы при любом исходе болезни вождя не допустить его возвращения к власти. В этом у них колебаний не было. Но скорее всего они уже знали, что выздороветь Сталин не может, так как сами приложили к этому руку.

О том, что со смертью Сталина не все обстояло так, как об этом писали в официальных правительственных сообщениях, говорит и следующий факт. Выше уже упоминалось о том, что 2 марта Центральным Комитетом и Правительством для лечения Сталина была образована специальная комиссия в составе восьми известных профессоров и академиков под руководством только что назначенного нового министра здравоохранения СССР.

Однако сразу же после смерти Сталина была создана новая комиссия в ином составе, но возглавляемая все тем же министром здравоохранения Третьяковым. Эта новая комиссия должна была подтвердить правильность диагноза и лечения Сталина, которое осуществлялось под контролем ЦК и Правительства, что и было ею сделано.

В заключении этой комиссии на основе результатов патологоанатомического исследования подчеркивался необратимый характер болезни товарища Сталина и то, что принятые энергичные меры лечения не могли дать положительного результата и предотвратить роковой исход. Заключение комиссии было опубликовано в «Правде» и «Известиях» 7 марта 1953 года.

Подобное заключение понадобилось преемникам Сталина для успокоения общественного мнения, которое было возбуждено публикациями и слухами, вызванными «делом врачей». Они хотели исключить разговоры о возможном убийстве Сталина, однако предположений о том, что Сталина отравили, что его убили неправильным лечением, было в то время более чем достаточно.

На этот счет существует множество версий, собранных и проанализированных авторами книг о смерти Сталина А. Авторхановым («Загадка смерти Сталина») и Ж. Бортоли («Смерть Сталина»). Для того чтобы положить конец домыслам и слухам, например, об отравлении Сталина, достаточно было бы провести эксгумацию его тела и соответствующие исследования. Но очень сомневаюсь, чтобы это было кому-нибудь нужно сегодня.

Допустим, что будет достоверно установлен факт отравления Сталина. И что же? Потомки могут только поблагодарить тех, кто решился это сделать и тем самым спас от новых репрессий миллионы своих сограждан. Даже если это сделал человек, которого в стране тогда ненавидели больше, чем Сталина, — маршал от госбезопасности Лаврентий Берия. Можно только пожалеть, что это не случилось гораздо раньше.

Такова участь всех тиранов — никто из них не завершил свой земной путь спокойно; утверждая насилие как основную форму власти, они рано или поздно сами становились жертвами насилия.

Чем старше становился Сталин, тем чаще возникал вопрос о его возможном преемнике (преемниках) — о том, кто его заменит. Речь идет именно о преемниках, а не наследниках, ибо духовных наследников, как показали десятилетия, прошедшие после его смерти, у Сталина оказалось более чем достаточно. Люди, воспринимающие рабство как естественное состояние и тоскующие по сильной руке, были во все времена. Хватает их и сегодня, и, к сожалению, не только среди ветеранов, хранящих память о том времени.

Из стихотворения Е. Евтушенко «Наследники Сталина»:

Он был дальновиден. В законах борьбы умудрен,
наследников многих на шаре земном он оставил.
Мне чудится, будто поставлен в гробу телефон.
Кому-то опять сообщает свои указания Сталин.

Куда еще тянется провод из гроба того?
Нет, Сталин не сдался. Считает он смерть
                                            поправимостью.
Мы вынесли из мавзолея его.
Но как из наследников Сталина Сталина вынести?

Иные наследники розы в отставке стригут,
а втайне считают, что временна эта отставка.
Иные и Сталина даже ругают с трибун,
а сами ночами тоскуют о времени старом.

*Наследников Сталина, видно, сегодня не зря
хватают инфаркты. Им, бывшим когда-то
опорами,
не нравится время, в котором пусты лагеря,
а залы, где слушают люди стихи, переполнены.*

*Велела не быть успокоенным Родина мне.
Пусть мне говорят: «Успокойся...» — спокойным
я быть не сумею.
Покуда наследники Сталина живы еще на земле,
мне будет казаться, что Сталин еще в мавзолее.*

Сразу же после окончания победоносной войны, достигнув зенита славы, Сталин неожиданно заговорил о своем возможном уходе в отставку. По воспоминаниям очевидцев, впервые публично он сказал об этом желании на банкете по случаю Парада Победы, а в последующие годы, например в дни празднования своего семидесятилетия в 1949 году, неоднократно возвращался к этой теме.

Никто, разумеется, всерьез не воспринимал эти разговоры, но в окружении Сталина борьба за право стать наследным принцем велась с необычайным ожесточением. Первыми жертвами этой борьбы, как известно, стали Жданов, Кузнецов и Вознесенский. После войны Жданов уверенно занимал второе место в партии. Его основным соперником был Маленков, ведавший партийными кадрами.

В 1946—1947 годах Жданов добивается снятия Маленкова с поста секретаря ЦК, а на его место был назначен бывший помощник Жданова, первый секретарь Ленинградского горкома А. А. Кузнецов, который быстро пошел в гору, стал членом Оргбюро ЦК и получил в свои руки партийный контроль над всеми силовыми структурами. Ходили слухи, что

Сталин публично называл его возможным преемником по партии, а Н. А. Вознесенского, занимавшего пост первого заместителя Председателя Совета Министров — первого заместителя Сталина по правительству, — прочил на свое место во главе правительства. Об этом упоминает, например, А. Микоян в своих воспоминаниях[1].

Если эти слухи и соответствуют действительности, то, скорее всего, в этом случае Сталин использовал свою излюбленную тактику — ссорить между собой приближенных, чтобы самому чувствовать себя спокойно. На мой взгляд, куда ближе к истине слова Н. Хрущева, который на вопрос бывшего американского посла в Советском Союзе А. Гарримана о том, выбрал ли Сталин перед смертью себе наследника, зло ответил: «Он никого не выбрал. Он думал, что будет жить всегда!»[2]

Монолог И. Сталина из книги Нодара Джина «Учитель»:

...после меня мои же засранцы все мгновенно пропьют. Только и ждут не дождутся закутить без меня, даже страху у них поубавилось. Ибо — живые. И уже долго. Грызутся открыто. Упражняясь при этом в искусстве застолья. Лишенного тамады.

Поскольку никому из них тамадой не стать.

Берия — грузин. Мингрел даже. Каганович — хуже. Микоян — вообще армянин. Жданов безна-

---

[1] См., например, *Микоян А. И.* Так было. — М.: Вагриус, 1999.

[2] *A. Harriman.* Peace with Russia. — New York. 1959, pp. 102—103. Цит. по: *А. Авторханов.* Указ. соч.

дежен. Особенно после смерти. Ворошилова зовут Клим, Хрущев тоже глуп. Но тоже безнадежен. Читает Ильича. И не почитает Берию. Которого боится Маленков. Но шансов нет и у него: он боится всех. Молотов рожден заместителем. И стар. А у молодежи — в том числе ленинградской — злобы больше, чем любви. То есть больше, чем классовой ненависти.

Вплоть до июля, однако, я об этом не думал. Считая, что выход есть. Натравливать их друг на друга. Как научил Ильич, и приспускать цепь. Пусть лаются. И в этом лае привыкают к своему ничтожеству. А сам я — в отличие от Ильича — решил не умирать. Никогда. Не имел на то права.

В итоге и Жданов, и Вознесенский, и Кузнецов, а заодно с ними десятки тысяч ленинградцев были устранены в результате происков Берии и Маленкова, организовавших в 1949—1951 годах печально знаменитое «ленинградское дело». Их устранение привело к усилению Берии, а в конечном счете приблизило конец и самого Сталина.

Менее всего Сталин и все остальные могли предположить, что его на посту генсека сменит Н. Хрущев, которого в сталинском окружении держали за простоватого и малокультурного — каким он в действительности и был — мужичка, не способного претендовать на роль лидера. История повторяется. В начале карьеры Сталина его тоже не принимали всерьез и также не могли представить, что он станет не просто лидером партии и государства, а еще и «вождем всего прогрессивного человечества», а заодно и могильщиком всех, кто был значительнее, популярнее и играл все бульшую роль в партии и государстве.

Утрата Сталиным своего положения единственного и всевластного руководителя страны началась еще в 1952 году, когда вопреки его желанию по решению Политбюро был созван XIX съезд компартии. Сталин не любил созывать пленумы ЦК и съезды партии, во-первых, потому что это были коллективные органы, которые могли лишить его власти и положения, чего он всегда боялся. Во-вторых, всегда находился кто-то из участников этих мероприятий, кто по недомыслию или неосторожности осмеливался вслух говорить неприятные для него вещи.

Тем не менее в 1952 году был созван очередной съезд возглавляемой им партии, не созывавшийся 14 лет. Напомню, что по уставу компартии ее съезды созывались вначале ежегодно — до XVI съезда включительно, а затем по порядку, установленному самим Сталиным, один раз в четыре года. XIX съезд внешне прошел исключительно благоприятно для Сталина — любое выступление начиналось и заканчивалось восхвалениями в адрес «отца и учителя, гения всех времен и народов», «мудрого вождя всего прогрессивного человечества» и т. д. Однако Сталин на съезде появился только дважды — на открытии и закрытии, и то ненадолго. Но самое удивительное произошло после съезда. На первом пленуме ЦК, состоявшемся 16 октября 1952 года, Сталин потерял ключевую должность генерального секретаря компартии и стал одним из десяти секретарей ЦК, сохранив за собой пост Председателя Совета Министров.

Пост генерального секретаря был упразднен, а место первого секретаря, на которого было возложено руководство работой секретариата ЦК, занял Маленков. Как и почему это произошло, до сих пор неясно. Не поддается объяснению также тот факт, о котором упоминает Хрущев в своем докладе XX съезду компартии о культе личности Сталина: на упоминавшемся пленуме ЦК 16 октября 1952 года Сталин дал отвод при избрании нового Президиума ЦК ряду старых членов Политбюро: Молотову, Микояну, Ворошилову, Андрееву, Кагановичу. Тем не менее они были избраны членами Президиума, хотя из уст Сталина в их адрес прозвучали обвинения в работе на иностранные разведки. Почему это произошло — можно только догадываться. Ни Хрущев, ни другие члены Политбюро, которых это касалось, не оставили сколько-нибудь ясных объяснений на этот счет.

Не сохранились и документальные свидетельства. Поэтому можно выдвинуть два более или менее вероятных правдоподобных объяснения этому факту, в тех условиях абсолютно неправдоподобному. Либо Сталин, страдавший в последние годы манией преследования, в минуты просветления взял свой отвод назад и не возражал против их избрания. Либо — что вероятнее — члены ЦК уже понимали, что реальная власть находится не в руках старого вождя, и потому осмелились пойти против его воли. Как говорится, возможны варианты, но всю правду мы вряд ли когда узнаем.

Д. Волкогонов приводит такой факт: после ареста Берии из его кабинета было изъято 11 мешков секретных документов (выражаясь современным языком — компромата), которые были уничтожены в соответствии с резолюцией Хрущева: «Уничтожить, не читая!»[1] Все руководители компартии сталинского времени прекрасно понимали преступный характер своей деятельности, всегда боялись ответственности за это и тщательно уничтожали все документы и свидетелей. Этому они научились у Сталина — не оставлять следов!

После смерти тирана его окружение, как правило, уходит в политическое небытие вместе с ним. И это понятно. Люди, сделавшие карьеру на искусстве предугадывать мысли и желания своего патрона, на лести и славословиях в его адрес, оказываются совершенно беспомощными, когда нужно принимать самостоятельные решения и преодолевать трудности ради удержания власти. Не нужно доказывать, что быть ловким интриганом при дворе властителя и обладать способностями лидера, могущего возглавить страну, — это далеко не одно и то же.

Окружение Сталина, сформированное им еще на рубеже тридцатых годов (Молотов, Ворошилов, Калинин, Каганович, Андреев и др.), было совершенно бесцветным. Эти малообразованные и малокультурные люди устраивали Сталина — на их фоне он действительно мог почувствовать себя корифеем всех наук и безусловным гением. Ведь у многих его со-

---

[1] Этот же эпизод описывается, например, и в книге С. Хрущева о своем отце: см., например, *С. Хрущев. Никита Хрущев. Реформатор. Время. 2010 г. — Прим. ред.*

ратников по руководству страной было низшее или даже незаконченное низшее — как, например, у Кагановича — образование. В чем они все преуспели, так это в безропотном подчинении вождю, выполнении всех его прихотей, холуйстве и курении ему фимиама. Сталинское окружение по своему интеллектуальному и культурному уровню разительно отличалось от ленинского, в котором преобладали люди с хорошим европейским образованием, знанием иностранных языков, великолепные ораторы и публицисты, «писатели», как презрительно отзывался о них Сталин после того, как устранил их от власти, да и просто яркие личности. Именно за это, а не за «уклоны» и отступления от генеральной линии партии Сталин их и уничтожил. Никаких шансов у «старой сталинской гвардии» стать его преемниками не было. В борьбе за власть, развернувшейся после смерти Сталина, они были обречены играть роль статистов, поддерживающих ту или иную группировку. Когда же, по выражению Н. Хрущева, эти персоны оказались в «механическом большинстве» Президиума ЦК, то в 1957 году они вообще были исключены из партии и изъяты из политической жизни.

Но были в окружении Сталина и другие фигуры, между которыми и развернулась борьба за передел власти: Берия, Маленков, Хрущев. Их путь к власти весьма поучителен.

Берия был на двадцать лет моложе Сталина. В коммунистическую партию вступил в 1919 году, а с 1920 года стал работать в бакинской Чека. С тех пор вся его жизнь и карьера были связаны с этой организацией. В конце 1922 года его заметил Сталин и назначил сначала заместителем председателя грузинской Чека, а затем, в 1924 году, и шефом этой организации. Потом Берия возглавляет Закавказское ГПУ, работает секретарем Закавказского крайкома и грузинского ЦК. Член ВКП(б) с 1934 года. С 1938 по 1946 год — нарком внутренних дел СССР (НКВД СССР), кандидат, а затем и член Политбюро. После войны назначается заместителем Председателя Совета Министров СССР (т. е. заместителем Сталина) по вопросам госбезопасности, а также возглавляет Комиссию по атомной энергии. Под его руководством с использованием полученных разведкой материалов были созданы советские атомная и водородная бомбы. Он единственный из чекистов получил звание Маршала Советского Союза.

По характеристике С. Аллилуевой, «Берия был хитрее, вероломнее, коварнее, наглее, целеустремленнее, тверже — следовательно, сильнее, чем отец»[1]. И еще: «Отвращение к этому человеку и смутный страх перед ним были единодушными у нас в кругу близких»[2].

Характерно, что именно эти чувства: отвращение, страх, ненависть Берия вызывал повсюду, где работал, — особенно ненавидели его в Грузии — и у всех, кому приходилось с ним встречаться и работать. Чем же он «взял» Сталина и что послужило двигателем его необычайно быстрого продвижения к вершинам власти? Обладая набором обязательных для всех приближенных Сталина качеств: огромной работо-

---

[1] *С. Аллилуева.* Двадцать писем к другу. — Нью-Йорк, Harper & Row, 1967, с. 147.
[2] Там же. С. 21.

способностью и безусловной исполнительностью, отсутствием собственного мнения и умением предугадывать любое желание и решение вождя, постоянно демонстрируемой личной преданностью ему и т. п., Берия довел их до совершенства, особенно в умении предугадать и предупреждать любое желание Сталина. Благодаря этому он сумел стать совершенно необходимым для Сталина человеком, его тенью, его отражением. Вот только два примера из множества историй, рассказываемых очевидцами о взаимоотношениях Сталина и Берии.

В 1938 году Сталин вызвал редактора «Комсомольской правды» Н. Михайлова и предложил ему стать первым секретарем ЦК ВЛКСМ. Михайлов стал отказываться, ссылаясь на то, что вышел из комсомольского возраста, тогда Сталин вызвал в свой кабинет Берию и сказал:

— Лаврентий, есть такое мнение — назначить тебя секретарем ЦК ВЛКСМ.

— Слушаюсь, товарищ Сталин! Когда нужно принимать дела? — отвечает Берия.

Сталин повернулся к Михайлову.

— Учись, сопляк, как надо отвечать!

Другой эпизод: Сталин вызвал С. И. Вавилова и спросил, кто бы мог выполнить важное оборонное задание.

— Есть ли у нас такой человек?

— Есть-то он есть, но его нет — ответил президент Академии наук СССР. — Это Стечкин, крупный специалист по теории теплового расчета авиационных двигателей.

— Почему нет? — отозвался Сталин. — Сейчас найдем. — Он поднял трубку. — Лаврентий, у тебя там наш человек затерялся, ученый Стечкин.

— Почему затерялся, товарищ Сталин? — подобострастно говорит Берия — Он уже едет в Москву[1].

Именно эти качества сделали Берию незаменимым для Сталина человеком. А закончилось это тем, что Сталин сам стал бояться Берию и собирался от него избавиться обычным для Вождя способом.

«После войны Берия стал членом Политбюро, и Сталин начал тревожиться о его растущем влиянии, — вспоминал Н. Хрущев. — Более того, Сталин начал бояться его. Я тогда не знал, какие причины для этого, но позднее, когда была раскрыта вся машина Берии по уничтожению людей, все стало ясно. Практические средства по достижению целей Сталина находились в руках Берии. Сталин осознал, что если Берия способен уничтожить любого человека, на которого он укажет ему пальцем, то он, Берия, может уничтожить и любого другого по собственному выбору. Сталин боялся, что он окажется таким первым лицом, которое выберет сам Берия»[2].

Так оно, в конце концов, и случилось.

Маленков — представитель другой, созданной усилиями Сталина касты: партийных работников, партаппаратчиков, партноменклатуры. Он со студенческих лет работает в аппарате ЦК компартии, и другого места работы у него не было. По воспо-

---

[1] Цит. по: *Ю. Борев.* Сталиниада. — М.: Советский писатель, 1990.

[2] Nikita Khrushchev. Khrushchev Remembers. Vol. 1, p. 335. Цит. по: *А. Авторханов.* Указ. соч.

минаниям Б. Бажанова, помощника Сталина и технического секретаря Политбюро в начале двадцатых годов, на работу в ЦК Маленкова устроила его жена, В. Голубцова, работавшая в организационно-распределительном отделе ЦК. Она продвинула его на должность технического секретаря Оргбюро[1]. В дальнейшем он становится секретарем-протоколистом Политбюро, в 1934 году — помощником Сталина, а с 1939 года — секретарем ЦК. С 1946 года член Политбюро и первый (после Сталина) секретарь ЦК. К моменту смерти Сталина в партийно-государственной иерархической лестнице занимал официально второе место, т. е. рассматривался в качестве официального преемника Сталина, после смерти которого и унаследовал его пост Председателя Совета Министров СССР. В дальнейшей борьбе за власть с Н. Хрущевым потерпел поражение, и в 1957 году вместе с другими членами «антипартийной группы» был выведен из состава ЦК, а в 1962 году исключен из партии. Закончил свою карьеру в должности начальника электростанции в казахской провинции.

В последнее время появились статьи и книги, в которых делаются попытки пересмотреть сложившиеся представления о Маленкове как верном сталинце и представить его в роли прогрессивного деятеля, чуть ли не реформатора, которому Хрущев помешал осуществить его планы реформ.

Куда ближе к истине А. Авторханов, который дает следующую характеристику Маленкову: «Наивно было бы говорить о каких-либо идейных убежде-

---

[1] См. *Б. Бажанов*. Воспоминания бывшего секретаря Сталина. — М.: Софинта, 1990.

ниях партаппаратчиков типа Маленкова. Это люди с эластичной совестью и бездонным властолюбием. Сталинцы впервые в истории нашли рецепт органического синтеза партийной политики и уголовщины. Согласно этому рецепту, все моральные категории и общепринятые нормы человеческого поведения находятся в постоянной диалектической трансформации: зло может превратиться в добродетель, бесчестие — в честь, долг — в предрассудок, подлость — в подвиг, и наоборот. И весь этот свой «моральный кодекс коммунистов» сталинцы применяют не только в борьбе с врагами вне партии, но и в борьбе за власть между собой, внутри самой партии, причем побеждают наиболее ловкие, прибегающие к еще никем не использованным новинкам политической подлости. Вся биография Маленкова — цепь таких подлостей»[1].

Добавлю к этому, что самая большая его подлость и преступление — организация пресловутого «ленинградского дела» — стоило жизни десяткам тысяч ленинградцев. По определению одного из сослуживцев, это была «жирная, вялая жаба».

Никита Хрущев, ставший преемником Сталина на посту генсека, также был из числа верных учеников Отца народов, выдвинутых им на руководящие посты в ходе истребления старых партийных кадров. Свою карьеру в начале тридцатых годов он начал с поста секретаря парторганизации Промакадемии. Его усердие было замечено, и он пошел на выдвижение: сначала на пост секретаря одного из московских райкомов, а затем и горкома компартии. Начавшие-

[1] А. Авторханов. Указ. соч., с. 59.

ся репрессии против партийных кадров освободили много мест и создавали условия для быстрой карьеры людям услужливым, умеющим понимать с полуслова желания начальства, а главное, никогда не отклонявшимся от генеральной линии партии. Тогда это означало только одно — умение точно и беспрекословно угадывать и выполнять мудрые указания вождя. К концу тридцатых годов Хрущев становится членом ЦК, а затем и секретарем ЦК компартии и входит в ближайшее окружение Сталина.

Умный и хитроватый, но одновременно простоватый и малообразованный, при этом обладающий хорошими организаторскими способностями, умеющий работать и веселиться — он по-человечески нравился Сталину. К тому же был безотказен во всем: в работе, в умении спеть, станцевать гопак, когда это потребуется, или с тем же рвением выполнить любое указание вождя, например провести чистку рядов московской парторганизации, организовать борьбу с украинскими «националистами», переселить карачаевцев в Казахстан и Среднюю Азию.

Но главное, как казалось всем окружающим, состояло в том, что Хрущев был человеком, начисто лишенным амбиций, идеальным типом исполнителя. Именно таких людей Сталин предпочитал иметь в своем окружении.

После смерти Сталина произошло возвышение Хрущева. Он устранил гораздо более сильных и опасных соперников: Берию, Маленкова, Молотова, Кагановича, Шепилова и др., а главное, разоблачил преступления Сталина. Все это свидетельствует лишь о том, что Хрущев в невероятных условиях сталинского режима сумел сохранить в себе человеческие качества: чувство собственного достоинства, природную доброту и жалостливость к людям, сопереживание чужому горю и т. п. Они позволили ему подняться над самим собой и над другими из тех, кто окружал Сталина в последние годы его жизни.

Он просто в большей степени остался человеком, чем прочие, а это уже немало, если вспомнить атмосферу и условия выживания, царившие в окружении Сталина. Жить в обществе, насквозь пропитанном ложью, и суметь сохранить в себе человеческие черты было тогда равносильно подвигу. Выживание требовало стольких усилий, выдумки, изобретательности, что на остальное, в частности на сохранение человеческого облика, сил уже не оставалось.

Хрущева никто из сталинского окружения всерьез как опасного конкурента и будущего лидера страны не воспринимал, что и расчистило ему дорогу к власти. На всех первых послесталинских фотографиях руководства страны, в частности на похоронах Сталина, Хрущев везде на втором плане — во втором ряду или крайним в первой шеренге. В то время это говорило о многом.

Приложив руку к устранению Берии, Хрущев сумел представить это как общее дело всех членов Президиума ЦК, необходимое для их выживания. На последующих этапах борьбы за власть он также прикрывался лозунгом коллективного руководства, даже в тех случаях, когда изгонял из власти «механическое большинство» старых соратников Сталина, обра-

зовавшееся в Президиуме ЦК. Хрущев был пример-
ным учеником Сталина и многому у него научился.

Именно эти люди сумели объединиться перед лицом общей опасности быть уничтоженными престарелым диктатором и сумели опередить его. Сейчас
трудно судить, был ли инсульт, случившийся со Сталиным, естественным следствием возраста и нездо-
рового образа жизни, который он вел, или же его организовали соратники вождя. Однако в любом случае
заинтересованные лица воспользовались происшед-
шим, чтобы довести дело до летального исхода. В работах, посвященных смерти Сталина, высказывается
множество предположений относительно действи-
тельных причин его смерти: от различных способов отравления до битья по голове, чтобы усугубить
последствия инсульта. Какой бы страшной смертью
он ни умер на самом деле — Сталин ее заслужил.
И нет такой смерти одного человека, которая могла
бы искупить страдания миллионов его жертв.

Еще при жизни Сталин сделал все возможное для
увековечения своего имени. Только в Советском Союзе в его честь было названо (переименовано) десять городов: Сталинград, Сталинабад, Сталинакан,
Сталинск, Сталинири, Сталино, Сталиногорск, Ста-
линск-Кузнецкий, Сталин, более 80 рабочих поселков и райцентров. Количество предприятий, колхозов
и совхозов, названных его именем, а также памятников, поставленных ему при жизни, не поддается ис-
числению. Не было места на территории СССР, где
бы ни висели его портреты и транспаранты с его вы-
сказываниями.

«Сталин туда, Сталин сюда, Сталин тут и там. Нельзя выйти на кухню, сесть на горшок, пообедать, чтобы Сталин не лез следом: он забирался в кишки, в мозг, забивая все дыры, бежал по пятам за человеком, звонил к нему в душу, лез в кровать под одеяло, преследовал память и сон»[1], — приводит Э. Радзинский запись из дневника сталинского времени.

Кампания переименований захватила и так называемые страны народной демократии, входившие в социалистический лагерь, созданный Сталиным. В его честь переименовываются многие города: в Болгарии имя Сталина носила Варна, в Польше — Катовице, в Румынии — Брашов, в Венгрии — Дунайварош. В ГДР Сталинштадт только в 1962 году был снова переименован в Эйзенхюттенштадт, а албанская Кучова оставалась Сталиным до 1990 года, т. е. до падения в стране коммунистического режима.

Процесс обратного переименования городов и поселков, а также сноса памятников «Великому вождю и Отцу всех народов» начался сразу после разоблачения культа личности в 1956 году. Первым был сброшен с постамента памятник Сталину в Будапеште во время венгерского восстания. За ним последовали десятки тысяч изваяний тирана, украшавших площади, улицы, парки практически всех городов и поселков в Советском Союзе и в других странах. Их разрушали с тем же энтузиазмом, с каким устанавливали, а нередко — и те же самые люди. Изваяний было так много, что их использовали вместо бетонных глыб для перекрытия рек и для иных хо-

---

[1] Цит. по: Э. *Радзинский*. Сталин. — М.: Вагриус, 1997.

зяйственных нужд. А жаль. В назидание потомкам памятники Сталину следовало бы собрать в одном месте — в музее тоталитаризма и написать: «Не сотвори себе кумира!» Один из немногих сохранившихся монументов Сталину стоит на его родине в городе Гори в Грузии[1].

Sic tansit gloria mundi! Так приходит мирская слава!

---

[1] Этот считавшийся одним из самых знаменитых в СССР памятников Сталину в ночь на 25 июня 2010 г. по указу правительства Грузии был демонтирован. — *Прим. ред.*

ПУНКТ 3

Внешность (внешние приметы).
Образ жизни

Вот как один белоэмигрантский писатель описывал внешность двух первых большевистских вождей: один маленького роста, лысый, картавый сифилитик с монгольскими скулами, второй небольшого роста, с явно выраженной кавказской внешностью и акцентом, сухорукий, со сросшимися пальцами на ногах, желтыми гнилыми зубами и прокуренными усами. При всей ядовитости этого описания оно, однако, в основном соответствует действительности. Вожди пролетариата, прямо надо признать, были довольно неказистыми.

Сталинское окружение было ему под стать. В известном стихотворении о кремлевском горце О. Мандельштам говорит про «сброд тонкошеих вождей».

Из «Стансов» Георгия Иванова:

Какие отвратительные рожи,
Кривые рты, нескладные тела:
Вот Молотов. Вот Берия, похожий
На вурдалака, ждущего кола...

Сохранилось описание внешности Л. Берии, сделанное Милованом Джиласом, одним из руководителей югославской компартии того периода: «Берия был полным, зеленовато-бледным, с четырехугольными губами и жабьим взглядом сквозь пенсне: смесь самоуверенности и насмешливости, чиновничьего раболепия и осторожности»[1].

Без чувства отвращения нельзя вспомнить заплывшие жиром низменные физиономии Жданова, Маленкова, Шкирятова и других сталинских подручных.

Образ Сталина, сложившийся в народном сознании и сохранившийся до сих пор, далек от своего реального прототипа как в политическом, так и в чисто человеческом, житейском плане. Существуют многочисленные свидетельства очевидцев о внешности Сталина, относящиеся к разным периодам его жизни. В большинстве из них отмечается поразительное несоответствие реального человека тем его многочисленным изображениям, которыми были заполнены страницы газет и журналов, площади и улицы городов и деревень Страны Советов. На фотографиях и картинах он казался выше ростом, внушительнее и значительнее, чем в жизни.

На сохранившихся групповых фотографиях отчетливо заметно стремление Сталина занять такое место, чтобы выглядеть выше, во всяком случае не ниже окружающих. Фотографируясь рядом с высокими Горьким или Роменом Ролланом, он умудряется выглядеть не ниже их ростом. Да и придворные

---

[1] Цит. по: *Милован Джилас. Лицо тоталитаризма.* — М.: Новости, 1992.

фотографы обязаны были снимать вождя только под определенным ракурсом, чтобы был незаметен его маленький рост.

Окружение тоже подбиралось под стать вождю: Молотов, Берия, Каганович, Калинин, Ежов, Микоян, Хрущев — все, как на подбор, были невысокого роста. На их фоне Сталин со своими 162 сантиметрами смотрелся порою великаном.

На трибуне Мавзолея ему подставляли специальную скамеечку с той же целью — чтобы выглядел выше и внушительнее. То же самое делалось и при его выступлениях с трибуны на съездах и совещаниях. Сталинские сапоги, которые были непременной принадлежностью любого его костюма, тоже были необычными — с очень высокими каблуками, частично спрятанными в задник. Чтобы поддерживать иллюзию более рослого человека, чем он был на самом деле, Сталин носил длинную, доходившую до уровня каблуков, шинель.

На официальных приемах кино- и фотосъемка велись издали и под таким ракурсом, чтобы Сталин заметно выделялся среди присутствующих. Рядом с рослыми людьми фотографироваться он избегал, в безвыходных ситуациях, например при приемах иностранных гостей, предпочитал фотографироваться сидя, когда разница в росте менее заметна. Вождь вообще не любил слишком рослых и красивых людей, таких как, например, Тухачевский или Рокоссовский.

Вот одно из ранних свидетельств о внешности Сталина, оставленное Ф. Кнунянц, сестрой известного большевика и активной участницей подпольной борьбы, и относящееся к 1905 году: «Кобу я увидела в небольшой комнате. Маленький, тщедушный и какой-то ущербный, он был похож на воришку, ожидающего кары. Одет он был в синюю косоворотку, в тесный, с чужого плеча пиджак, на голове — турецкая феска. Встретил он меня с нескрываемой подозрительностью. Лишь после подробных расспросов, похожих на допрос, вручил мне стопу книг и брошюр. Он проводил меня до двери, продолжая окидывать подозрительным, враждебным взглядом»[1].

Во всех дореволюционных описаниях внешности Кобы — тогда он еще не был Сталиным — отмечается, что он был худым, со смуглым лицом, заросшим черными волосами, плохо выбритым либо вообще не бритым, с тихим голосом и медленной речью, с маленькими глазками, зажигавшимися в минуты гнева опасным желтым огнем, угрюмым, замкнутым, сосредоточенным, недружелюбным, всегда плохо одетым. Черное поношенное демисезонное пальто и такая же шляпа сопровождали его из одной ссылки в другую.

Из полицейского описания И. Джугашвили (1907 г.): лицо рябое с оспинными знаками, лоб прямой и невысокий, рост 2 аршина 4,5 вершка, телосложения посредственного, одна рука, левая, — сухая, на левой ноге 2 и 3 пальцы сросшиеся. В общем, индивидуальных примет для полиции хватало, особенно сросшиеся пальцы ноги, которые в народе называли дьявольской меткой.

Таким он предстал перед семейством Аллилуевых, у которых остановился в марте 1917 года по возвращении из туруханской ссылки и которые сыграли

---

[1] Осмыслить культ Сталина. Ред., сост. *Хуан Кобо.* — М.: Прогресс, 1989. С. 93.

столь заметную роль в его жизни. Они же купили ему и новый костюм, специально для участия в VI съезде партии, так как имеющийся у него старый пиджак был совершенно изношен. Поскольку Сталин не любил и никогда не носил галстуков, жена Аллилуева перешила пиджак от нового костюма, сделав высокие вставки наподобие мундира или френча.

Идея оказалась удачной, и с этого времени полувоенный френч с высоким воротником и застежкой у самого горла станет его постоянной формой и войдет в историю как одежда пролетарского Вождя. Впоследствии подобным же образом станут одеваться сотни тысяч партийных и государственных функционеров. Знаменитая «маоцзедуновка», ставшая форменной одеждой для сотен миллионов китайцев, также ведет свою родословную от этого костюма Сталина.

Лишь после войны, в конце жизни Сталин сменит эту униформу на маршальский мундир. Сталин не был щеголем, был равнодушен к тому, во что он одет, и презирал тех, кто стремился красиво одеваться. В свою очередь, большинство членов ленинского Политбюро обычно со снисходительной насмешкой оглядывали его внешний вид и униформу кавказского человека.

По мере возвышения он стал уделять одежде больше внимания, но так и остался приверженцем традиционных кавказских вкусов и любви к мундирам. Воинская одежда всегда привлекала его, поскольку она придает человеку парадность, официальность, внушительность, к которым он всегда стремился. Даже в тяжелые годы войны он уделял много внимания введению новой формы для офицеров и генералов Красной Армии, занимаясь этим с увлечением и страстью.

Сам же разнообразия в одежде не любил и всю жизнь одевался стереотипно. Фотографии и картины тех лет хорошо передают эту особенность Сталина...

Каждый человек несет в себе загадку своей судьбы, которую никто, включая его самого, точно разгадать не может. Мог ли кто-нибудь в 1917-м и последующих годах предположить, что неказистый, небольшого роста, угрюмый, с оспинными метками на лице, малозаметный и недостаточно образованный (об интеллигентности и речи быть не могло) — что именно этот человек, затерявшийся в когорте блестящих деятелей революции из окружения Ленина, станет через несколько лет единственным и неограниченным властителем России — «Отцом, Учителем и Вождем всех народов», носителем такой необъятной власти, которая и не снилась Романовым. Такое в то время едва ли приходило в голову (даже в тайных мечтах) и самому Сталину. Об окружающих же и говорить нечего. При подобном предположении они бы только недоверчиво рассмеялись.

В связи с этим хочу привести почти анекдотический рассказ из воспоминаний О. Т. Тяпкиной, актрисы театра Мейерхольда и жены известного актера Э. Гарина:

«*Когда в 1925 году репетировали пьесу Н. Эрдмана «Мандат», то был случай, который теперь покажется совсем неправдоподобным. У Эрдмана Гулячкин, когда выживают жильца, кричит, что копия его мандата послана товарищу Чичерину.*

Эраст (Гарин. — А. С.) на репетиции это выкрикнул, а Мейерхольд говорит: «Товарищи, все-таки Чичерин такое лицо... Неудобно! Надо кого-нибудь помельче». И предложил заменить Чичерина Сталиным. Так и орал потом Эраст на спектаклях».

Для широкой публики в то время партийный секретарь, даже генеральный, был лицом, выполняющим технические функции, а потому и не столь значащим. Увы, вскоре все убедились, как глубоко они заблуждались!

Такова была воля провидения и исторических событий, которые вынесли Сталина на самую вершину власти. Все остальное было уже делом его собственных рук.

С годами внешний облик Сталина меняется, причем не только под воздействием прожитых лет. Как уже отмечалось, в первые послереволюционные годы он малозаметен, держится в тени, хотя всегда вблизи от Ленина, готовый выполнить любое его указание или поручение. После смерти Ленина он преображается даже внешне, все больше входя в роль вождя, обретая значительность в жестах, непререкаемость в суждениях и ту особую манеру общения с собеседниками, которая производила неизгладимое впечатление на всех, кто с ним встречался.

Небольшого роста, он умел смотреть на собеседника как бы с высоты, не свысока, а именно с высоты, как бы снисходя до собеседника, взглядом одновременно рассеянным и внимательным, гипнотизирующим и внушающим страх — во всяком случае, так казалось любому, кто с ним разговаривал.

Новый облик, новая манера держаться и говорить возникали по мере того, как укреплялась его лидирующая роль в руководстве партией и страной. Из простого, доступного каждому, начисто лишенного величия, такого же, как все, партийного лидера постепенно выкристаллизовывается тот Сталин, которого мы знаем по многочисленным портретам, изваяниям и кинофильмам.

Все, кто близко знал его, подчеркивают незаурядные актерские способности Сталина. Заседания Политбюро, Комитета по присуждению Сталинских премий и совещания в ЦК, в которых он участвовал, превращались всегда в театр одного актера. Вот еще несколько слов из воспоминаний Милована Джиласа, который неоднократно встречался со Сталиным: «У Сталина была страстная натура со множеством лиц — причем каждое из них было настолько убедительным, что казалось, что он никогда не притворяется, а всегда искренне переживает каждую из своих ролей»[1].

Но это пришло не сразу. Годами, десятилетиями Сталин вырабатывал особую манеру держаться, которая подчеркивала его величие, выделяла из всех, пока из малозаметного, молчаливого, угрюмого статиста в окружении Ленина он не превратился в настоящего и единственного Вождя, авторитет которого был непререкаем.

Вождизм был особым явлением, порожденным революцией. Миллионные массы рабочих, солдат и крестьян, неожиданно для себя ставшие правящим классом, нуждались в кумирах. Толпа не может су-

---

[1] Цит. по: *Милован Джилас. Указ. соч.*

ществовать и действовать без предводителей. Возвеличивая своих вождей, толпа возвышает себя. Именно такими кумирами толпы и стали лидеры большевиков, многие из которых — Троцкий, Зиновьев, Каменев и другие — были к тому же прекрасными ораторами, народными трибунами.

Сталина среди них не было. Его стихия иная — кабинеты. Совещания. Заседания. Комиссии, комитеты, интриги, закулисные переговоры. Оратором в ту пору он был никаким. Однако, превратившись в Вождя, к началу тридцатых годов он научился владеть любой аудиторией, выработал свой собственный стиль публичных выступлений.

Скупость жестов. Медленная речь, в которой каждое слово значительно, звучит как откровение. Говорит уверенно, иногда повторяя фразы, с заметным грузинским акцентом. Почти никогда не говорит то, что думает, но тщательно обдумывает то, что говорит, каждую свою фразу. По воспоминаниям одного из его переводчиков, «Сталин говорил медленно, негромко и очень уверенно. Он четко выдерживал паузы и никогда не отвлекался в сторону: вел беседу так, что у слушателей создавалось очень четко очерченная картина событий. Кроме того, у него был тонкий слух, во время переговоров он улавливал даже чужой шепот»[1].

Другой переводчик, Зоя Зарубина, принимавшая участие во всех встречах лидеров держав антигитле-

---

[1] Цит. по: *А. Богомолов.* Добрый дедушка Сталин. — М.: Астрель, 2012.

ровской коалиции в Тегеране, Ялте и Потсдаме, так вспоминает об их манере вести переговоры:

«Рузвельт широко разводил руками, то и дело обращался ко всем присутствующим, как бы пытался завоевать доверие аудитории.

Черчилль — высокий, что называется видный, говорил длинно, сложно выстраивая фразы, чем доводил, по-моему, переводчиков до полного изнеможения. У него была чисто парламентская манера выступать.

Сталин говорил тихо-тихо и нараспев. Оттого все вокруг смолкали и вслушивались в его слова. Очень быстро реагировал на замечания собеседников, всегда был готов к любому вопросу.

Сталин очень любил ошеломить собеседников, выдать нечто неожиданное»[1].

Вообще в речи и манере говорить у Сталина было много актерского.

Поза благородного достоинства и величия — одна рука за борт френча, корпус неподвижен, голова приподнята — все просто и величественно.

Литературный критик К. Зелинский так описал заключительное выступление Сталина на встрече с писателями в 1932 году: «Сталин почти не жестикулирует. Сгибая руку в локте, он только слегка поворачивает ладонь ребром то в одну, то в другую сторону, как бы направляя словесный поток. Иногда

---

[1] Прямого указания на источник автор не дает. Сходный по смыслу рассказ З. В. Зарубиной можно найти в интернет-версии «Политического журнала» — http://www.politjournal.ru/index.php?action=Articles&dirid=50&tek=901&issue=26. — *Прим. ред.*

он поворачивается корпусом в сторону подающего реплику»[1].

Никакой торопливости или порывистых движений. Снисходительно-одобрительная улыбка, скорее усмешка. Трубка в левой руке. Процесс набивания и разжигания трубки позволял ему выигрывать время для формулирования вопроса или подготовки ответа.

«...люди стали видеть в самых небольших движениях Вождя (движениях пальцев, бровей, рук, жестах и взглядах) — намек, предупреждение, угрозу, приказ». Это уже А. Солженицын, «В круге первом».

Таким он хотел выглядеть в глазах окружающих и именно таким остался в памяти народа по многочисленным изображениям и кинофильмам. Артист М. Геловани, сыгравший роль Сталина во многих послевоенных фильмах, очень точно передает эту манеру держаться и выглядеть так, как самому Сталину хотелось бы выглядеть в жизни. Наверное, поэтому он так любил этого актера и за каждую сыгранную им роль Сталина неизменно награждал его Сталинской премией первой степени[2].

Полувоенный френч, фуражка, длинная шинель, сапоги органично дополняли его облик. Солдат партии, человек из народа. Как писал Анри Барбюс: «Человек с головою ученого, с лицом рабочего, в оде-

---

[1] *К. Зелинский.* Запись встречи советских писателей-коммунистов с членами правительства, состоявшейся 26 октября 1932 г. в Москве на квартире Горького. — «Вопросы литературы», 1991. Май, с. 162.

[2] Автор преувеличивает. М. Геловани сыграл роль Сталина по меньшей мере в 16 фильмах. Премию получил четырежды. — *Прим. ред.*

жде простого солдата»[1]. Груб? Резок? Ну и что же?! Таким и должен быть простой человек (не мягкотелый интеллигент), болеющий за народное дело и непримиримый борец с врагами народа.

«Сталин действительно велик, я и сейчас это подтверждаю, он, несомненно, был выше всех нас на много голов. Но он был и артист, он был иезуит. Он способен был на игру, чтобы показать себя в определенном качестве»[2], — писал в своих воспоминаниях Н. Хрущев.

Осенью 1932 года Сталин организует ряд встреч с писателями на квартире у М. Горького. Вот как описывает его К. Зелинский, один из участников этих встреч: «Сталин — человек среднего роста, не очень плотный и отнюдь не военно-монументальный, как его изображают в гипсовых бюстах. Это еще вполне крепкий человек, почти без седины, волосы чуть начинают седеть на висках, но еще темные и густые... Сталин, что никак не передано в его изображениях, очень подвижен. Он очень чуток к возражениям и вообще странно внимателен ко всему, что говорится вокруг него. Кажется, он не слушает или забыл. Нет, он все поймал на радиостанцию своего мозга, работающую на всех волнах. Ответ готов тотчас, в лоб, напрямик, да или нет»[3].

---

[1] *Барбюсс А.* Сталин. — М.: Гослитиздат, 1936.

[2] Цит. по: Сталин в жизни. Систематизированный свод воспоминаний современников. Сост., ред. *Е. Гусляров.* — М.: Олмапресс, 2003, с. 734.

[3] *К. Зелинский.* Запись встречи советских писателей-коммунистов с членами правительства, состоявшейся 26 октября 1932 г. в Москве на квартире Горького. — «Вопросы литературы», 1991. Май, с. 156.

В эти же годы Р. Роллан, приглашенный в Москву на празднование годовщины Октябрьской революции, записывает в своем дневнике: «Мне не удается найти согласия между Сталиным, который позавчера беседовал со мной в Кремле, и Сталиным, который подобно римскому императору, в течение 6 часов наслаждался своим апофеозом... Сталин как бы смущенный, стесняющийся, прячущийся, но в то же время демонстрирующий себя. Какое удовольствие получил бы Шекспир, изображая двух этих Цезарей, двух Сталиных, слитых в одном человеке!»[1]

На самом же деле их было значительно больше: Сталин был многолик и умел мгновенно изменяться. Демонстрировать самого себя, мистифицировать зрителя, сыграть целый спектакль — это он умел делать превосходно, с увлечением и любовью к этому делу.

По существу он и был римским императором, перенесенным на десять столетий вперед в крестьянскую Россию, которую он подчинил себе, создав громадную империю, наподобие Римской. Только в ней не было свободных людей, включая его самого. Его империя состояла исключительно из рабов марксистской идеи. Бухарин называл его Чингисханом, прочитавшим Маркса, но он скорее был внутренне похож на Нерона с его страстью к зрелищам, к театру, к интригам, к убийствам.

В первые послереволюционные годы Сталин, как и вся большевистская верхушка, ведет очень простой

---

[1] Прямого указания на источник автор не дает. Возможно, он ссылается на перевод «Московского дневника» Ромена Роллана в журнале «Вопросы литературы», 1989, № 3—5. — *Прим. ред.*

и скромный образ жизни. Аскетизм в этой среде был нормой. В тюрьмах, ссылках, на каторге они привыкли довольствоваться малым, обходиться в повседневной жизни минимальными удобствами и потребностями. Никакого комфорта, никакого тяготения к роскоши или пользованию благами жизни у Сталина не было. Даже зубными щетками в тот период не пользовался из-за отсутствия таковых, мылся далеко не каждый день. Белье и одежду менял редко. Жил в Кремле в маленькой, просто меблированной квартире, где раньше обитала дворцовая прислуга. Лишь по настоянию Ленина переехал жить в более просторную квартиру.

По сохранившимся воспоминаниям, это жилье производило впечатление «обычной квартиры среднего трудящегося интеллигента: все чисто, аккуратно, удобно, приспособлено к напряженной умственной деятельности, но и только, никакой роскоши, никакого намека на пустой эстетизм. Всюду было много книг»[1].

Неприязнь ко всему иностранному Сталин перенес и на свой быт — импортных вещей не любил и в доме не держал. Ни в кремлевской квартире, ни на дачах у него не было ни заграничной мебели, ни дорогих картин, ни безделушек, которыми обычно украшают жилище. Вот точное замечание Д. Волкогонова: «Он любил не вещи. Любил власть. Только власть!»[2]

---

[1] Цит. по: *Л. Балаян.* Вернуть Сталина! — М.: Алгоритм, 2010.

[2] Цит. по: *Волкогонов Д. А.* Сталин. Политический портрет. — М.: Новости, 1992.

Подобная скромность быта первого лица в государстве не могла не производить сильного впечатления на окружающих. Постепенно скромность, непритязательность и даже аскетизм личной жизни вождя стали легендой. До сих пор убежденные сталинисты, особенно старшего поколения, доказывая преимущества своего кумира, ссылаются на то, что он не хапал и не обогащался, подобно нынешним властителям, а жил скромно и заботился о народе, снижая цены.

Это и правда, и неправда. Правда заключается в том, что Сталин был равнодушен к вещам и искренне презирал «барахольщиков». В то же время он не только не препятствовал тому, что окружающие его сановники купались в роскоши, но и планомерно создавал особую систему снабжения и жизни номенклатурных работников, строя им дачи и санатории, выделяя персональные автомобили и вводя спецраспределители.

«Для него, как и для других большевистских лидеров, вопрос о деньгах никакой практической роли не играет. Они располагают всем без денег — квартирой, автомобилем, проездами по железной дороге, отдыхами на курортах и т. д. Еда приготовляется в столовой Совнаркома и доставляется на дом»[1]. Это слова из воспоминаний помощника Сталина Б. Бажанова.

Что же касается лично Сталина, то, поскольку, выражаясь современным языком, он приватизировал всю страну, у него не было надобности в личном обогащении. Все и так принадлежало ему. Любое

---

[1] Цит. по: *Б. Бажанов*. Указ. соч.

его желание выполнялось немедленно, не считаясь ни с какими затратами. Расточительность свойственна тоталитаризму, диктатуре — ведь власть здесь абсолютно неподконтрольна. А власть в Советском Союзе олицетворял Сталин. Его обслуживание и охрана, многочисленные дачи и резиденции: Зубалово, ближняя и дальняя — под Москвой; в Сочи, Боржоми, Новом Афоне, Холодной речке, на озере Рица, в Мюссерах — на юге, обходились государству в огромные суммы.

Распорядок жизни Сталина определяла работа, которая была его единственной страстью. Для него не существовало выходных дней. Распорядок дня менялся лишь во время отпуска, который он обычно проводил на юге. Он не умел и не хотел отдыхать, словно родился бессонным, поэтому ночи загружал работой, деловыми встречами, долгими застольями, завершавшимися обычно к 4—5 утра.

Вставал поздно. Завтракал обычно после полудня, после чего принимал участие в различных заседаниях и совещаниях, а также принимал посетителей в своем кремлевском кабинете. Работал допоздна. По ночам обычно не спал. Демонизируя личность Сталина, некоторые из писавших о нем авторов утверждают, что он вообще никогда не спал, но это уже из области многочисленных мифов, возникших о Вожде еще при его жизни.

В то же время, чем бы это ни объяснялось, но именно по ночам — обычно после театра или просмотра кинофильмов в кремлевском кинозале, или многочисленных совещаний и заседаний — после 22—23 часов Сталин устраивал ужины для своих приближенных, а точнее, если вспомнить о любви грузин к широкому застолью — настоящие пиры. Во время этих застолий сам он пил немного, но от остальных требовал безукоснительного выполнения грузинского обычая пить до дна и любил наблюдать за поведением сотрапезников, когда они напивались.

Эта любовь к многочасовым застольям, где не только пьют и едят, но и решают тут же за столом все дела, обсуждают, решают, судят, спорят, — одна из немногих привычек, объясняемых его кавказским происхождением. Но и ее он поставил на службу своему делу. В застольях люди легче раскрывались, а ему проще было контролировать свое окружение, не допускать, чтобы в нем создавались слишком близкие дружеские отношения или, не дай бог, группировки.

Свидетельствует В. Молотов: «Сталин много не пил, а других втягивал здорово. Видимо, считал нужным проверить людей, чтоб немножко свободней говорили. А сам он любил выпить, но умеренно. Редко напивался, но бывало. Бывало, бывало. Выпивши, был веселый, обязательно заводил патефон. Ставил всякие штуки. Много пластинок было»[1].

А вот воспоминания Хрущева об этой стороне жизни Сталина: «...создалась такая ситуация, когда ты не только не хочешь, но тебя воротит, а тебя накачивают, наливают. Об этом я говорю, потому что я обращаю внимание на то, что к концу жизни Сталина такое времяпровождение было убийственно и для

---

[1] Цит. по: *Ф. Чуев*. Сто сорок бесед с Молотовым. — М.: Терра, 1991.

работы, и даже физически. Спаивались люди, спивались, и чем больше напивался человек, тем больше получал удовольствие Сталин»[1].

Для Сталина подобный — крайне нездоровый и ненормальный — образ жизни был естественным. Но пока была жива Н. Аллилуева, он должен был сдерживать себя и уделять хотя бы немного времени семье, жене, детям. После ее смерти все изменилось.

Как вспоминает С. Аллилуева: «Мама моя не успела вкусить позднейшей роскоши из неограниченных казенных средств — все это пришло после ее смерти, когда дом стал на казенную ногу, военизировался, и хозяйство стали вести оперуполномоченные от МГБ. При маме жизнь выглядела нормально и скромно»[2].

Круг развлечений кремлевских обитателей был довольно ограниченным: просмотр кинофильмов, походы в театры, официальные приемы и праздничные концерты, а также частые застолья и попойки, которые в послевоенные годы стали практически ежедневными.

«Мы очень часто ездили к Сталину, почти каждый вечер, — вспоминает Н. Хрущев. — Только когда нездоровилось Сталину, были пропуски. Других причин не было, потому что Сталину девать себя было некуда. Ему делать было нечего, он не способен был что-нибудь делать, а мы должны были ра-

[1] Цит. по: *Н. С. Хрущев*. Воспоминания. Книга 1. — М.: «Московские новости», 1991.

[2] *С. Аллилуева*. Двадцать писем к другу. — Нью-Йорк.: Harper & Row, 1967, с. 55.

ботать, работать на своих постах, а кроме того, мы должны были участвовать в вечерах Сталина и развлекать его»[1].

Эти откровения явно относятся к последним годам, даже месяцам жизни Сталина. Однако при всей обременительности сталинских ужинов — во что можно поверить — Хрущев здесь явно лукавит: каждый из приближенных Сталина мечтал быть приглашенным на его ночные застолья. Участие в них было верной гарантией безопасности; отлучение в лучшем случае означало опалу, в худшем — арест и смерть.

Характер развлечений на этих вечеринках полностью соответствовал нравственно-культурному уровню присутствующих. Сталин любил заводить патефон и слушать пластинки с русскими и грузинскими народными песнями и романсами. Под пластинки танцевали и пели. Танцевали плохо, больше куражились, а петь любили и умели. Ворошилов, как и Сталин, пел в церковном хоре. У него был приятный голос и разнообразный репертуар украинских и русских песен. Буденный хорошо играл на гармони и этим развлекал компанию.

Жданов считался среди них почти интеллигентом — он неплохо играл на рояле. Специальностью Хрущева были украинские танцы. Микоян был излюбленным объектом жестоких застольных шуток, наподобие тех, что описывала в своих воспоминаниях Светлана Аллилуева. Шутки и речь были грубые, с частым употреблением матерных слов.

---

[1] Цит. по: *Н. С. Хрущев*. Воспоминания. Книга 2. — М.: «Московские новости», 1991.

В общем, уровень развлечений в этой кремлевской среде мало чем отличался от того, как развлекались в простых рабочих и крестьянских семьях. Они и сами были такими. Выходцы из рабоче-крестьянской среды, превратившись в руководителей огромной страны, по своим вкусам и образу жизни оставались такими же примитивно-невзыскательными, разве что пили и ели богаче.

При жизни Надежды Аллилуевой в семейных и других праздничных вечеринках принимали участие женщины — родственницы и кремлевские жены. После ее смерти обеды и попойки у Сталина происходили, как правило, на ближней даче и в мужской компании. Состав участников этих застолий менялся редко, обычно тогда, когда кто-то попадал в немилость или вообще выбывал из игры, став жертвой репрессий.

Круг участников сталинских пиров и характер развлечений менялись также при поездках в отпуск, который он обычно проводил на Кавказе: в Сочи, на озере Рица, в Мацесте и других местах.

В годы войны по необходимости характер застолий и состав их участников резко изменились. Теперь на ближнюю дачу, кроме членов Политбюро, приглашались и военные, приехавшие с фронта генералы и руководство Генштаба.

Вот как описывает один из таких обедов генерал армии С. М. Штеменко, в то время заместитель начальника Генерального штаба:

«Обед у Сталина, даже очень большой, всегда проходил без услуг официантов, они только приносили в столовую все необходимое и молча удалялись. На стол заблаговременно выставлялись приборы, хлеб, коньяк, водка, сухие вина, пряности, соль, какие-то травы, овощи и грибы. Колбас, ветчины и иных закусок, как правило, не бывало. Консервов он не терпел.

Первые обеденные блюда в больших судках располагались несколько в стороне на другом столе. Там же стояли стопки чистых тарелок.

Сталин подходил к судкам, приподнимал крышки и, заглядывая туда, вслух говорил, ни к кому, однако, не обращаясь:

— Ага, суп... А тут уха... Здесь щи... Нальем щей, — и сам наливал, а затем нес тарелку к обеденному столу.

Без всякого приглашения то же делал каждый из присутствующих, независимо от своего положения.

Наливали себе кто что хотел.

Затем приносили набор вторых блюд, и каждый также сам брал из них то, что больше нравится.

Пили, конечно, мало, по одной-две рюмки. В первый раз мы с Антоновым (начальником Генштаба) не стали пить совсем. Сталин заметил это и, чуть улыбнувшись, сказал:

— По рюмке можно и генштабистам.

Вместо третьего чаще всего бывал чай. Наливали его из большого, кипящего самовара, стоящего на том же отдельном столе.

Разговор во время обеда носил преимущественно деловой характер. Касался тех же вопросов войны, работы промышленности и сельского хозяйства, говорил больше Сталин, а остальные отвечали на его вопросы.

Только в редких случаях он позволял себе затрагивать какие-то отвлеченные темы»[1].

К концу войны Сталин сильно сдал физически: сказывались годы и нечеловеческое напряжение военных лет. Он по-прежнему держит в своих руках все нити руководства страной, но с каждым днем делать это становится все труднее. Война и особенно победа в ней раскрепостили людей. Начал исчезать страх — стержень режима, хотя внешне культ вождя достиг невиданных размеров. Это раздражало и даже пугало стареющего диктатора. Он становился все более подозрительным, все сильнее замыкался в себе, все реже появлялся на людях. Донимают его и возрастные болячки, а в 1945 году он переносит тяжелый гипертонический криз.

Мысли о будущем все больше тревожат Сталина. Но нет уже ни прежней хватки, ни ясности мысли. Он готовит новую большую чистку, думает о новой войне и окончательной победе социализма в мировом масштабе, но временами он и сам начинает ощущать, что время его прошло и на новые свершения уже просто нет сил. Он сокращает до минимума круг общения, становится все более раздражительным и нелюдимым. Даже с детьми не видится подолгу — месяцами. Одиночество и возрастные болезни одолевают его.

---

[1] *Штеменко М. С.* Генеральный штаб в годы войны. — М.: Воениздат, 1975. С. 312—313.

Это сразу бросилось в глаза известному врачу-терапевту академику А. Л. Мясникову, вызванному к больному Сталину: «Поздно вечером 2 марта 1953 года к нам на квартиру заехал сотрудник спецотдела кремлевской больницы: «Я за вами — к больному Хозяину». Сталин лежал грузный, он оказался коротким и толстоватым, лицо было перекошено, правые конечности лежали, как плетни»[1].

При посмертном вскрытии у Сталина был обнаружен сильный склероз мозговых артерий и размягчение отдельных участков мозга. «Управлял государством, в сущности, больной человек. Он таил свою болезнь, избегая медицины, он боялся ее разоблачений. Склероз сосудов мозга развивается медленно, на протяжении многих лет. У Сталина были найдены очаги размягчения мозга очень давнего происхождения... Полагаю, что жестокость и подозрительность Сталина, боязнь врагов, утрата адекватности в оценке людей и событий, крайнее упрямство — все это создал в известной степени атеросклероз мозговых артерий (вернее эти черты утрировал)»[2].

Из медицинской карты Сталина, хранящейся в кремлевском архиве, видно, что последние несколько лет перед смертью он не обращался к врачам за медицинской помощью, избегая медицины. И дело здесь, по-видимому, не только в недоверии к врачам. Он помнил, как во время болезни Ленина сам полно-

---

[1] Цит. по: *В. Копылова*. «Управлял государством, в сущности, больной человек»//Московский комсомолец № 25623 от 21 апреля 2011 г. Автор же, по всей вероятности, пользовался фрагментами мемуаров А. Мясникова, опубликованных в «Литературной газете» 1 марта 1998 г. — *Прим. ред.*

[2] Там же.

стью изолировал больного от окружающего мира, а в конце концов дал ему яд[1]. Воспоминание об этом не могло не сказаться на поведении Сталина. Он боялся, что нечто подобное произойдет с ним самим.

Боялся не зря — в конечном итоге его убили, во всяком случае, сильно поспособствовали тому, чтобы он, наконец, умер. С его смертью началось прозрение. Живое воплощение Бога оказалось простым смертным, его уродливые останки не могли вызвать никаких других чувств, кроме брезгливости и отвращения. Даже у людей, отучившихся размышлять, при взгляде на мертвое тело Вождя не могло не возникнуть крамольной мысли: как же могло случиться так, что этот неказистый, рябой, с желтыми прокуренными усами, толстый, с одутловатым лицом человек стал властелином страны, украл у нас Бога, а сам занял его место?!

---

[1] Автором этой конспирологической теории, до сих пор имеющей своих поклонников, по всей видимости, является Лев Троцкий. Подтвердить или опровергнуть ее с абсолютной достоверностью без специализированных исследований (например, спектрального анализа тканей тела Ленина) невозможно — токсикологической экспертизы после его смерти не проводилось. — *Прим. ред.*

ПУНКТ 4

Характер

Описание характера такого человека, как Сталин, — дело необычайно сложное в силу многоликости и изменчивости героя. Именно на это в первую очередь обращает внимание У. Черчилль в своих воспоминаниях о Сталине: «Он был необычайно сложной личностью. Он создал и подчинил себе огромную империю. Это был человек, который своего врага уничтожал руками своих врагов»[1].

Смысл жизни для Сталина был в борьбе. В молодости это была борьба за выживание, за самоутверждение, которую он соединил с борьбой за революционное ниспровержение существующего строя. После победы революции это была борьба за власть

---

[1] Автор — как и многие другие, цитировавшие эту и еще более известную фразу о том, что «Сталин принял Россию с сохой, а оставил с атомной бомбой», — пал жертвой публицистического таланта Нины Андреевой и Феликса Чуева, опубликовавших в своих работах (статья «Не могу поступаться принципами» в газ. «Советская Россия», 1988 г. и книга «Сто сорок бесед с Молотовым», выходившая частями в журнале «Армия» в 1991 г., соответственно) приписываемый ими Черчиллю (или Молотову) панегирик. Из всей цитаты лишь первое предложение принадлежит Черчиллю (было частью его речи, произнесенной перед палатой общин по возвращении из Москвы, 8 сентября 1942 г.), остальное — домыслы. — *Прим. ред.*

и утверждение нового строя. В период войны он боролся с Гитлером, после войны — с мировым империализмом.

На протяжении всей жизни он беспощадно боролся с внутренними врагами. Враги были ему необходимы для ощущения смысла и полноты жизни. Всю свою жизнь он всегда был в состоянии борьбы с врагами — действительными или мнимыми. Если врагов не было, он их придумывал.

Для Сталина состояние конфронтации, борьбы с врагами было главной формой самоутверждения. Врагов у него хватало, но он предпочитал бороться не с реальными противниками, а прежде всего с врагами, созданными его воображением. Так было безопаснее и результативнее, поскольку в конечном счете приводило к уничтожению и реальных противников.

Стравливая одних с другими, он делал их врагами, а затем руками одних своих врагов уничтожал других. Это было тем более эффективно, что вымышленный враг обычно ни к борьбе, ни к сопротивлению не готов. В минуты, когда надо действовать, он начинает судорожно размышлять: «За что? Ведь я ни в чем не виноват? Я предан партии и правительству и готов выполнить любое их задание?!» А уже никаких заданий не будет — впереди только смерть.

Поэтому в борьбе со Сталиным выживали единицы, нашедшие в себе силы к сопротивлению в роковую минуту или просто пощаженные судьбой.

Жизнь для Сталина была борьбой в самом точном, буквальном смысле слова. Он и своему народу без устали внушал эту мысль. В конечном счете Вождь добился своего, превратил жизнь огромной страны в непрекращающуюся борьбу за выживание. Спокойного, благополучного существования, ориентированного на обычные человеческие ценности и радости, не было при нем ни для кого, включая его самого и его близких.

Лозунг «Жизнь — это борьба!» в самых различных интерпретациях стал одним из главных лозунгов сталинского периода.

Корни такого понимания и отношения к жизни уходят в его дореволюционную молодость и зрелые годы, когда он вел полную опасностей и борьбы жизнь революционера-подпольщика. Его характер, его личность сформировались именно тогда. Не нужно забывать, что Сталин получил кремлевскую прописку, когда ему уже было больше сорока лет.

В галерее типов человеческой натуры, созданной Гоголем в «Мертвых душах», отсутствует тип властолюбца — человека, единственной страстью которого является власть, который обладание ею предпочитает всем остальным земным радостям и утехам. Греха властолюбия нет и в библейском перечне семи смертных грехов, по-видимому, потому, что он не имеет столь широкого распространения, как, например, чревоугодие или жадность. Но если вирус властолюбия поражает человека, то это не приносит счастья ни ему, ни окружающим. К тому же болезнь властолюбия не поддается лечению.

Сталин являл собой наиболее законченный тип властолюбца, для которого не существовало никаких моральных или этических ограничений, когда дело касалось власти. Первые десять лет после революции он безраздельно посвятил борьбе за достижение абсолютной власти в партии и стране, а последующие годы — непрекращающемуся сражению за ее удержание. По характеристике Н. Бухарина, не раз называвшего Сталина Чингисханом, прочитавшим Маркса, «он беспринципный интриган, все на свете подчиняющий своей жажде власти. Он всегда готов сменить свои взгляды, если считает, что это поможет ему избавиться от кого-либо из нас. Его интересует только власть. Пока что он, чтобы остаться у власти, делает нам уступки, но потом передушит нас всех. Сталин умеет только мстить, вечно держит кинжал за пазухой. Нам бы следовало помнить его мысль насчет «сладости мщения»[1].

Не приходится сомневаться в том, что властолюбие было главной чертой характера Сталина, внутренней пружиной, определявшей большинство его поступков. Однако из этого еще не следует, что Сталин едва ли не с юных лет поставил себе целью добиться власти над страной и всю последующую жизнь лишь осуществлял задуманное.

Нет, все происходило как бы само собой. Поначалу он был малозаметен и вполне удовлетворялся ролью преданного Ленину послушника. Был только тенью Ленина. По мере того как ситуация выносила его наверх, а все конкуренты — один за другим — стали выбывать из игры, его аппетиты стали стремитель-

---

[1] Цит. по: *А. Орлов*. Тайная история сталинских преступлений. — Всемирное слово, 1991 г.

но возрастать. Следует подчеркнуть, что сталинские амбиции, как и его последующее величие, создавались главным образом его окружением.

Если бы кто-нибудь в начале или даже в середине двадцатых годов назвал Сталина гением или великим вождем, то его просто бы высмеяли. Тогда же никому в голову не могла прийти мысль назвать партию большевиков партией Ленина — Сталина или причислить Сталина к лику классиков марксизма-ленинизма. «Под знаменем Маркса — Энгельса — Ленина — Сталина вперед к победе коммунизма!» — подобный лозунг в те годы не мог прийти в голову ни самому Сталину, ни окружающим. Но из семи членов последнего при жизни Ленина состава Политбюро пятеро, исключая Ленина и, естественно, самого Сталина, были объявлены врагами народа: Троцкий, Рыков, Каменев, Зиновьев, Томский. По мере устранения из руководства партии и страны всех соратников Ленина и утверждения Сталина в качестве единовластного правителя, все вышеописанное за короткий срок становится повседневным.

И вот уже главный редактор «Правды» Мехлис из номера в номер пишет о гениальных указаниях, гениальном предвидении, гениальных словах Сталина. Именно Зиновьев вводит в оборот формулу: «учение Маркса — Энгельса — Ленина — Сталина».

Сам же Сталин создает и настойчиво развивает теорию двух вождей революции, двух вождей партии и страны. Прикрываясь именем Ленина, он сначала поставил себя вровень с ним, а затем и выше. Учение и дело Ленина стало учением и делом Сталина.

Власть над партией он приобрел, сделав ставку на партаппарат, на партийную бюрократию. Предельно бюрократизировав партийную жизнь, Сталин создал многочисленную касту партийных функционеров, которые в нищей, вечно голодной стране были поставлены в привилегированное положение, получая лучшие квартиры, лучшие дома отдыха и санатории, спецпайки и другие виды спецснабжения.

Со временем эта каста партийных работников получила особое название номенклатуры, которая и составила правящую элиту в созданной Сталиным партийно-государственной системе. На это ему понадобилось около двух десятилетий, в течение которых были последовательно уничтожены почти все члены партии с дореволюционным стажем. К слову сказать, Сталин уничтожил больше революционеров, чем все русские цари вместе взятые. Их место заняли новые партийные кадры, воспитанные в духе безграничной преданности Сталину и созданной им системе власти.

Подчинив себе партию, Сталин сделал ее носителем монопольной власти в стране. Монополия партии шаг за шагом стала распространяться на все сферы жизни: монополия идеологическая, монополия на мысль — единомыслие во всем! — монополия на культуру — пролетарская культура, социалистический реализм. Монополия экономическая — тотальное огосударствление экономики. Монополия классовая — классовый отбор в партию и подбор кадров партийно-государственного аппарата, партия как главный инструмент осуществления диктатуры пролетариата, теория обострения классовой борьбы по мере продвижения к социализму. И, конечно же, монополия политическая — монополия на власть.

Вследствие этого население страны оказалось как бы поделенным на две категории.

1. Члены компартии, находившиеся в относительно привилигированном положении, от преимуществ в поступлении на учебу, в продвижении по работе и т. п. до права обсуждать политические вопросы на партийных собраниях.

2. Все остальное беспартийное население, которое было абсолютно бесправным в политическом отношении, не имело права даже высказываться вслух по политическим вопросам и находилось под постоянным всеобъемлющим контролем политической полиции (ЧК, ВЧК, ГПУ, ОГПУ, НКВД, МГБ, КГБ).

Компартия взяла на себя выполнение основных функций государства, превратив государственный аппарат лишь в инструмент осуществления директив и указаний партии. Лишенный реальной власти в центре и на местах госаппарат превратился в предельно бюрократизированную и формализованную структуру, не могущую сделать и шага без соответствующих партийных решений, указаний, согласований и т. д.

Так была создана командно-бюрократическая система, творцом и символом которой стал Сталин.

Достигнув единоличной власти, он, однако, продолжал создавать видимость коллективного руководства. Постоянная борьба с внутрипартийными уклонами, фракциями, оппозицией, в том числе придуманной им самим, велась Сталиным под флагом борьбы за единство партии, защиты чистоты ленинизма и ленинской генеральной линии партии.

Но чем больше возрастала его власть над партией и страной, тем сильнее развивались присущие ему с молодых лет подозрительность и недоверие ко всем и каждому, которые с годами приобрели маниакальный оттенок. По словам Н. Хрущева, однажды Сталин в разговоре с ним и Микояном сказал: «Никому я не верю. Я сам себе не верю»[1].

К пониманию характера Сталина полностью приложимо то, что было написано известным историком В. О. Ключевским об Иване Грозном: «Ему недоставало внутреннего природного благородства; он был восприимчивее к дурным, чем к добрым впечатлениям; он принадлежал к числу тех недобрых людей, которые скорее и охотнее замечают в других слабости и недостатки, чем дарования или добрые качества. В каждом встречном он прежде всего видел врага. Всего труднее было приобрести его доверие»[2].

Подозрительность и страх за собственную жизнь являются органической болезнью всех тиранов и диктаторов. Это оборотная сторона диктатуры, своеобразная плата за абсолютную власть. Известно, что никто из тиранов не умирал своей смертью, вопрос лишь в том, как долго ему удавалось сохранить власть в своих руках.

---

[1] *Никита Сергеевич Хрущев.* Воспоминания. // «Огонёк», № 36, 1989 г., с. 17.

[2] Цит. по: *В. О. Ключевский.* Исторические портреты. Деятели исторической мысли./*Сост., вступ. ст. и примеч. В. А. Александрова.* — М.: «Правда», 1991.

«Недоверие к людям было определяющей чертой его характера, его мировоззрением. Не доверял никому, даже Богу — и прав оказывался всегда!» — так писал А. Солженицын в романе «В круге первом».

Подозрительность Сталина проявлялась и в мелочах. Он никогда не садился спиной к двери; не любил, чтобы в его присутствии лазили во внутренние карманы, хотя всех его посетителей тщательно обыскивали, на любые собрания и совещания приходил с опозданием, когда все уже собрались, расселись по местам и ждут. Н. Хрущев вспоминал, что в последние годы жизни «Сталин за столом не ел и не пил, пока кто-либо другой не попробует из этого блюда или из этой бутылки»[1].

Параллельно с возвышением усиливалась и его озабоченность вопросами собственной безопасности. Если в первые послереволюционные годы он ходит по Кремлю и появляется на улицах Москвы без охраны — сохранились фотографии и свидетельства современников об этом, — то уже с середины двадцатых годов он имеет многочисленную охрану, и каждое его появление на людях становится крупной операцией для соответствующих органов. С годами подозрительность и страх покушений только возрастают, сопровождаемые беспрецедентными мерами по обеспечению его безопасности.

Так, тридцатипятикилометровый участок дороги от Кремля до ближней дачи, где он обычно ночевал, постоянно охраняли в три смены 1200 человек, работников НКВД. Большая часть жителей квартир,

---

[1] Цит. по: *Н. С. Хрущев.* Время. Люди. Власть. Воспоминания. — М.: «Московские новости», 1999.

выходящих на эту трассу, по Кутузовскому проспекту и далее, была выселена, а освободившиеся комнаты и квартиры предоставлены работникам НКВД. Во время поездок впереди и сзади его машины следовали по два автомобиля охраны. Задние машины были оборудованы выдвигающимися площадками с турельными пулеметами. Всю трассу машины проходили на предельной скорости. Выезд осуществлялся из разных ворот Кремля. Нередко одновременно выезжали два-три кортежа, и никто, кроме начальника его охраны, не знал, в котором из них будет следовать Сталин.

При поездках в отпуск на юг, в Сочи, Гагры, на озеро Рица, задействовались 2—3 дивизии НКВД, которые устанавливали охрану на всем пути следования, привлекая к этому и местные органы НКВД. Обычно готовилось 2—3 правительственных сцепоезда с разными маршрутами следования. Выезд осуществлялся только поздней ночью, и никто не знал — даже железнодорожное начальство, — в котором именно составе едет Сталин. Вдоль пути следования, особенно на подъезде к Сочи, там, где железнодорожный путь идет между морем и горами, вырубались деревья и кустарники.

Страх покушения преследовал Сталина постоянно. Не случайно во всех без исключения процессах над его политическими противниками, начиная с тридцатых годов, обязательно фигурировало обвинение в организации или в планировании покушения на Сталина и его окружение.

Сталин правил страной почти тридцать лет. Своеобразный рекорд, ставший возможным не в последнюю очередь из-за его поразительной интуиции, чисто звериного нюха на возможных соперников, противников и врагов, которых он вычислял раньше, чем они осознанно делали такой выбор. В борьбе с потенциальными — реальных уже не осталось! — врагами он всегда играл на опережение.

Особого рассмотрения заслуживают такие черты характера Сталина, как умение подчинять себе людей и играть ими. Ему была присуща особая проницательность, позволявшая видеть людей насквозь и оказывать на них сильное воздействие. Во многих воспоминаниях о встречах с ним говорится о гипнотической силе, исходившей от него, о сталинском гипнозе. Это не было обаянием хорошего и открытого человека, привлекающего к себе сердца окружающих, каким обладал, например, Киров.

Не исходило от него и той моральной силы, силы духа, которая нередко встречается у крупных ученых, писателей и вообще среди творческих людей. Ею в высокой степени обладали, например, такие люди, как Сахаров, Вавилов, Павлов и другие наши великие ученые. Можно вспомнить Л. Толстого, Ф. Достоевского, К. Чуковского и других.

Его гипноз имел иную природу. Это была темная, необъяснимая, дьявольская сила, сознающая свою власть над людьми и наслаждающаяся зрелищем их унижения, подчинения себе. Гипноз власти, соединенный со страхом и беззащитностью перед силой этой власти, а также иллюзией причастности к ней и великому делу, строительству нового общества — социализма, которое она олицетворяет, рождали массовое поклонение, восторг и энтузиазм. «Ведь мы его любили», — признаются в своих мемуарах те, кому удалось выжить в сталинских лагерях и кто еще до лагерей, на воле, жил в постоянном страхе за свою жизнь и жизнь своих близких.

Сохранившиеся кадры кинохроники тех лет запечатлели сотни и тысячи счастливых, восторженных лиц с горящими глазами, которые приветствуют Вождя в тех редких случаях, когда он появляется на съездах, конференциях, совещаниях и других публичных действах. Конечно, все публичные появления Сталина тщательно готовились, десятки и сотни агентов политической полиции режиссировали в зале бурное проявление восторга, но одновременно возникала атмосфера массового психоза, когда слабонервные падали в обморок от переполнявших их чувств при лицезрении Великого вождя народов.

Поначалу эти массовые проявления восторга и поклонения, организуемые его окружением, смущали Сталина, ставили его в неловкое положение, хотя и нравились ему. Однако со временем он привык к проявлениям лести и славословия, восторгам и восхвалениям в свой адрес и стал воспринимать их как должное. Более того, он сам всячески способствовал утверждению собственного культа и с подозрением относился к тем, кто проявлял известную сдержанность в выражении верноподданнических чувств.

Сохранились его собственноручные пометы на рукописях «Краткого курса истории ВКП(б)» и «Краткой автобиографии», в которых он усиливает эпитеты по отношению к самому себе. Мудрый, геннальный, величайший, непревзойденный и т. п. — такие слова бестрепетно выводит сталинская рука в свой собственный адрес. Прославление Сталина приняло беспрецедентные масштабы, страна была наводнена бесчисленными плакатами, портретами, скульптурами с его изображениями. Ни одна книга или статья, независимо от их содержания, не могли быть опубликованы без упоминания его имени. В каждом номере любой газеты его имя фигурировало десятки раз.

Как написал Л. Фейхтвангер в книге «Москва 1937»: «Поклонение и безмерный культ, которыми население окружает Сталина, — это первое, что бросается в глаза иностранцу, путешествующему по Советскому Союзу. На всех углах и перекрестках, в подходящих и неподходящих местах видны гигантские бюсты и портреты Сталина. Речи, которые приходится слышать, не только политические речи, но даже и доклады на любые научные и художественные темы, пересыпаны прославлениями Сталина, и часто это обожествление принимает безвкусные формы»[1].

Все это создавало повседневный фон тогдашней жизни страны. Особый размах культ личности Сталина приобретает после войны, так как его имя ассоциировалось в сознании миллионов с одержанной победой над фашизмом. Массовое поклонение ему приняло в эти годы почти религиозный характер. Почести, воздававшиеся Сталину при жизни, превысили человеческие представления о возможных пределах восхваления отдельной личности. Оказалось, что таких пределов не существует.

---

[1] Цит. по: *Л. Фейхтвангер. Москва 1937. — М.: МДПР, 1990.*

Ничего подобного культу Сталина не было в российской истории по отношению ни к одному из царей или религиозных деятелей. Лишь истерическое поклонение Гитлеру или Муссолини может сравниться с тем, что происходило примерно в эти же годы по отношению к Сталину. Природа этого явления одна, но масштабы и длительность по времени разные.

Уже после смерти Сталина и разоблачения его преступлений на XX и XXII съездах КПСС предпринимались попытки дать объяснение этому явлению, принявшему столь чудовищные формы. Сам Сталин при жизни считал это естественным проявлением благодарности советских людей за счастливую жизнь, которую они получили благодаря неустанной заботе о них партии и правительства, иногда принимающей уродливые и преувеличенные формы.

Культ личности, однако, не возникает сам по себе. Он представляет собой не естественное, а противоестественное состояние духовной жизни народа. Чтобы культ возник, нужна прежде всего личность, обладающая культовыми чертами, способная поразить воображение масс и повести их за собой.

Другими словами, нужна харизматическая личность. Поклонники Сталина любят повторять: «Был культ, но была и личность!» — намекая на то, как проигрывали по сравнению со Сталиным его преемники на посту генерального секретаря партии или лидера страны. Рузвельт, Черчилль и де Голль были, однако, не менее значительными личностями и повлияли на жизнь своих стран и человечества не в меньшей степени, чем Сталин, но культа не породили. Немыслимо представить себе, чтобы американский солдат шел в бой с возгласами: «За Рузвельта!» — а английский кричал бы на поле боя: «За Черчилля!» Советские же солдаты шли в атаку и умирали с криками: «За Родину! За Сталина!» — Значит, дело не только в личности, хотя без нее, разумеется, и культа не будет.

Культ возникает тогда, когда народ нуждается в нем, когда народ жаждет его. Народ, у которого не изжиты традиции абсолютизма, которому необходим вождь. Иначе говоря, народ, не имеющий традиций и опыта демократического устройства жизни, политически незрелый, лишенный развитого чувства собственного достоинства и готовый покориться чужой воле.

К несчастью для нас, именно таким и был советский народ. К тому же сыграл свою роль и традиционный, передаваемый из поколения в поколение, русский боевой клич: «За Веру, Царя и Отечество!» Но чтобы народ не только покорился, а еще и воздавал славу тирану, тот должен быть носителем ясной, простой и объединяющей всех идеи. К примеру, Гитлер пришел к власти с идеей возрождения величия Германии, которая нашла отклик в сердцах немцев, униженных поражением в Первой мировой войне, Версальским договором и беспросветными тяготами жизни.

Сталин «взял» народ идеей строительства нового, неслыханного прежде строя, обещающего всем равную, счастливую и богатую жизнь, идеей построения социализма в одной, отдельно взятой стране. И тот, и другой (и Гитлер, и Сталин) сказали своему народу: «Вы лучше всех других людей. Вы достойны лучшей жизни. И я дам вам эту жизнь!» Всего этого было достаточно, чтобы уставшие, измученные и одураченные люди покорно отдали себя и свою свободу в руки жесточайших тиранов в истории человечества.

Но для возникновения культа личности и этого еще недостаточно. Нужен также страх, всепоглощающий и постоянный, страх за себя и своих близких, который и становится пусковым механизмом для возникновения культа личности.

Атмосфера произвола, репрессий, доносов, концентрационных лагерей — вот та почва, на которой вырастает культ диктатора. Никто не мог позволить себе в Германии не любить Гитлера, а в Советском Союзе — Сталина. Проявления восторга и ликования при виде вождя служат защитной реакцией, призванной показать лояльность и благонадежность. Именно в этом заключена скрытая психологическая причина возникновения культа личности.

Все перечисленное выше составляет необходимые условия, без которых культ личности возникнуть не может. Но и при наличии их он возникает не всегда. Нужно еще достаточно длительное время и неустанная, настойчивая пропаганда, исподволь пропитывающая культом вождя личность человека, что называется, до мозга костей. Желательно на протяжении нескольких поколений. Тогда культ приобретает религиозный оттенок и закрепляется на генетическом уровне. Гитлеру просто не хватило времени, чтобы его культ достиг того уровня, до которого поднялся культ личности Сталина.

До сих пор трудно понять и поверить, как такой человек, как Сталин, рожденный и выросший в глухой провинции, в захолустье, без чьей-либо поддержки, не имеющий ни именитых и влиятельных родственников, ни богатства, доставшегося по наследству, плохо образованный, сумел подняться над всеми и подчинить себе полмира. Более того, он превратил миллионы людей в рабов, умирающих с его именем на устах.

Сталин был человеком, который сам себя сделал и только благодаря своей воле, характеру и одержимостью идеей власти смог стать хозяином страны, предметом поклонения и культа. Ему была присуща абсолютная уверенность в своей избранности, гипнотически передающаяся массам. В культе личности любого исторического деятеля нетрудно разглядеть черты мессианства, спасителя, ожидание которого всегда жило в глубинах народного сознания. Точнее сказать, подсознания.

Мессианский оттенок имел и культ личности Сталина, который соединялся с верой в построение коммунизма — очевидно утопической идеей, корни которой нетрудно проследить в учении церкви о царствии небесном, царствии Божьем. Сталин и коммунисты лишили народ Бога и веры, предложив взамен жалкий суррогат в виде марксистско-ленинского учения о коммунизме, о построении социализма, об Отце, Учителе и Вожде всех людей и народов Иосифе Сталине.

Воистину, как писал В. Набоков, «когда ограниченного, грубого, полуобразованного человека, который с первого взгляда кажется третьесортным фанатиком, но в действительности является мелким тираном, жестоким и кровожадным человеком с примитивным интеллектом и болезненно раздутым самолюбием, — когда такого человека называют Богом, боги вправе не замечать этого оскорбления».

Грубость Сталина. О ней пишет Ленин в своем письме-завещании как о фундаментальной черте его характера. Об этом же говорят практически все, кто с ним сталкивался. Вот свидетельство его секретаря Б. Бажанова: «Грубость Сталина. Она была скорее натуральной и происходила из его малокультурности. Впрочем, Сталин очень хорошо умел владеть собой и был груб, лишь когда не считал нужным быть вежливым»[1]. С годами он сдерживается все реже, и грубость его натуры становится все заметнее.

Грубость была органическим свойством его характера, сформированным тяжелыми условиями жизни в детстве и в молодые годы. Тюрьмы и ссылки лишь завершили формирование этой черты его характера — там грубость была необходимым условием выживания.

«Сталин был груб не только с людьми: эта черта сказывалась во всех его действиях. Даже меры, которые с политической точки зрения были разумны и необходимы для страны, осуществлялись им с такой бессердечностью, что вреда от них было больше, чем пользы»[2], — утверждал А. Орлов.

Грубость противоположна тонкости, деликатности, уважительному отношению к другим людям. В сфере чувств поэт противопоставляет грубости

---

[1] Цит. по: *Б. Бажанов.* Указ. соч.
[2] Цит. по: *А. Орлов.* Указ. соч.

нежность. «Грубым дается радость, нежным дается печаль!» — писал С. Есенин. Грубость всегда сопрягается с безжалостностью, невнимательностью, немилосердным, наплевательским отношением к людям. Применительно к Сталину все это приобретает совершенно иное качество, трансформируется в бесчеловечность.

«Человечность — это способность участвовать в судьбе других людей. Бесчеловечность означает не принимать участие в судьбе других». Это слова Канта. Сталин опроверг знаменитого философа: он был бесчеловечен, но активно участвовал в судьбе миллионов людей, правда, необычным способом — уничтожая их.

Именно в подражание Сталину в партийно-государственной номенклатурной среде в советское время утвердилось обращение на «ты» к любому нижестоящему по должности или званию лицу, а также обильное употребление мата в служебных разговорах на самом высоком уровне. Известно, что Сталин и в разговорах с ближайшими соратниками, и на заседаниях Политбюро, да и на совещаниях не стеснял себя в употреблении матерных слов. Излюбленным его словечком по отношению к соратникам было «засранцы». Словесная грубость была для Сталина столь же естественной, как и его кавказский акцент.

Не стеснялся он в выражениях и в своих речах и статьях, когда речь шла о полемике с оппонентами или о борьбе с оппозицией. Болтун, невежда, клеветник, двурушник, предатель, враг, пустозвон! Эти и другие ярлыки с соответствующими эпитетами он постоянно использовал для характеристики тех, кто попадал в поле зрения его критических и разоблачительных речей. В этом он подражал Ленину, который, как известно, также особенно не стеснялся в выражениях по отношению к своим политическим оппонентам. Но Сталин пошел дальше, каждое его высказывание звучало либо как обвинение, либо как приговор. Впрочем, так оно и было — после каждого выступления Сталина кого-то ссылали в лагерь, кого-то расстреливали, а кто-то исчезал навсегда просто так, без суда и следствия.

Грубости своей Сталин не стеснялся, а наоборот, даже бравировал ею. Выступая на XIV съезде партии с резкой критикой оппозиции, он, например, заявил под одобрительный смех зала: «Да, товарищи, человек я прямой и грубый. Это верно, я этого не отрицаю». Но все же ленинские слова о его грубости, да еще сказанные в связи с необходимостью подумать о перемещении его с должности генерального секретаря на другое место, не давали Сталину покоя. В течение жизни он периодически возвращался к этому вопросу, как бы косвенно полемизируя с Лениным. Прямо он с Лениным не спорил никогда, особенно после его смерти, когда присвоил себе положение самого верного ученика и соратника Ленина.

В октябре 1927 года на объединенном пленуме ЦК и ЦКК ВКП(б), добивая Троцкого и оппозицию, Сталин вернется к вопросу о своей грубости: «Оппозиция думает «объяснить» свое поражение личным моментом, грубостью Сталина, неуступчивостью Бухарина и Рыкова и т. д. Слишком дешевое объяснение. Это знахарство, а не объяснение... За период с

1904 года до Февральской революции 1917 года Троцкий вертелся все время вокруг да около меньшевиков, ведя отчаянную борьбу против партии Ленина. Почему? Может быть, виновата тут грубость Сталина? Но Сталин не был тогда еще секретарем ЦК, он обретался тогда вдали от заграницы, ведя борьбу в подполье, против царизма, а борьба между Троцким и Лениным разыгрывалась за границей — при чем же тут грубость Сталина?»[1]

Но такова логика тирании: личная грубость вождя оборачивается в конечном счете жестокостью и бесчеловечным обращением с миллионами его подданных.

Собственную грубость Сталин возвел в ранг революционной добродетели. Подражая ему, новые хозяева страны объявили борьбу таким человеческим качествам, как милосердие, сострадание, деликатность, сердечность, жалость. Они считали их «мелкобуржуазными», «интеллигентскими», чуждыми победившему пролетариату.

Следующим шагом стало объявление сопереживания страданиям людей едва ли не преступлением, а всякое проявление сочувствия репрессированным и членам их семей стало рассматриваться в качестве демонстрации враждебных настроений, как проявление нелояльности режиму, следовательно, как преступное. Пропаганда доносительства и сотрудничества с НКВД в качестве общественных добродетелей, возведение Павлика Морозова, предавше-

---

[1] И. В. Сталин. «Троцкистская оппозиция прежде и теперь». Речь на заседании объединенного пленума ЦК и ЦКК ВКП(б) 23 октября 1927 г. Цит по: *Д. Волкогонов. И. В. Сталин. Политический портрет.* — М.: АПН, 1989.

го отца и близких, на пьедестал народного героя[1], публичное отречение детей и жен «врагов народа» от своих близких довершили процесс нравственного растления народа. А началось все с «грубости товарища Сталина», который не преминул бы в этом случае сказать: «А при чем тут грубость товарища Сталина?»

Ключевым для понимания Сталина и как человека, и как политического деятеля являются судебные процессы тридцатых годов над его политическими противниками и оппонентами. И тогда, когда они происходили, и сейчас, спустя десятилетия, когда знакомишься с их материалами, они оставляют странное впечатление — с одной стороны, неестественным, необъяснимым с точки зрения здравого смысла поведением подсудимых, а с другой — удивительной жестокостью приговоров, которая явно не стыкуется с публичным покаянием и полным признанием своей вины всеми без исключения участниками этих процессов.

Начать с того, что политический характер обвинений по всем этим процессам несомненен. На скамье подсудимых по трем главным и бесчисленному множеству других процессов оказались оппозиционеры,

---

[1] Образ Павлика Морозова, первого пионера-героя в череде ярких примеров, призванных пропагандировать новую, коммунистическую мораль и нравственность, в годы перестройки прошел через процесс полной переоценки — от образцового пионера до предателя ближайших родственников. Беспристрастное исследование позволяет заключить, что Павлик не был ни предателем, ни героем — скорее, жертвой постреволюционного переустройства России (он свидетельствовал на суде против своего отца, за что дед и двоюродный брат убили его). — *Прим. ред.*

т. е. члены правящей партии, более того, ее видные руководители, которые когда-либо выступали против Сталина, иначе говоря, оказались в оппозиции к нему. Принадлежность к оппозиции — главное, в чем они обвинялись. Все остальное: заговор против руководителей партии и государства, шпионаж и диверсии, организация подпольных центров и групп и т. д. — все это, по мысли обвинения, было естественным следствием оппозиционной деятельности подсудимых.

Принадлежность к оппозиции обвинением не доказывалась, а констатировалась как непреложный факт. К тому же и сами подсудимые этого не отрицали, хотя и каялись, осуждали свою прошлую оппозиционную деятельность.

Справедливости ради нужно сказать, что оппозиционная борьба в партии в тот период была, да и нешуточная.

Шли споры о выборе дальнейшего пути строительства социализма: сохранять НЭП или начать его ликвидацию, относиться к крестьянству как к союзнику или враждебной силе; за счет чего и кого осуществлять индустриализацию страны; использовать ли репрессивные меры или, напротив, идти по пути демократизации и либерализации режима и т. д. Предметом разногласий были вопросы о роли профсоюзов, военного строительства, многие вопросы внутрипартийной жизни, по которым шли бурные дискуссии и которые определяли суть борьбы сначала с троцкистами, а затем с «правым уклоном» в ВКП(б).

При этом в борьбе с Троцким и его сторонниками Сталин опирался на постулаты и аргументы «правых» — Бухарина, Рыкова и др., — а после сокрушения левой оппозиции принялся за правую, опираясь на теоретические положения левых, того же Троцкого, особенно по вопросам хозяйственного строительства: методам индустриализации и коллективизации, отношению к крестьянству.

Сталинские позиции по вопросам индустриализации страны и коллективизации сельского хозяйства настолько явно совпадали с позициями Троцкого, что в то время, а это вторая половина двадцатых годов, в партии было широко распространено мнение о намеренном уходе Троцкого с политической арены. По этой версии, Троцкий, желая провести свои взгляды в жизнь и не видя других возможностей их осуществления, решил использовать амбиции Сталина. Поэтому он якобы решил Сталину проиграть, но идеи свои сохранить и воплотить их в жизнь с помощью Сталина.

Такое вот чрезвычайно громоздкое и весьма наивное объяснение. Прежде всего потому, что ни Троцкий, ни Сталин были органически неспособны уступать кому бы то ни было. Однако само существование подобных мнений о многом говорит.

Принципиальная разница между Сталиным и теми, кого он объявил оппозиционерами, заключалась в том, что для оппозиции это была борьба, подчас чисто теоретическая, между единомышленниками, расходившимися во мнениях по тому или иному вопросу. Если бы оппозиция победила, Сталин, конечно, потерял бы место генсека, но, несомненно, получил бы приличный партийный или государственный пост в Грузии либо в Москве. Для Сталина же это была борьба с заклятыми врагами, посмевшими выступить против него, а значит, подлежащими уничтожению в буквальном смысле слова. По-другому он не мог!

Поэтому к обвинениям в оппозиционной деятельности обычно добавлялись и обвинения в подготовке убийства Сталина и других руководителей страны из числа его окружения, в шпионаже, как правило, в пользу нескольких иностранных разведок, в организации диверсий и проч., которые строились на признании обвиняемых и показаниях секретных сотрудников (сексотов) НКВД. На всех процессах эти сотрудники обязательно находились на скамье подсудимых на вторых ролях, но именно на их показаниях обычно и строилось обвинение.

Таким образом, главный нерв всех политических процессов тридцатых годов, да и последующих, например ленинградского дела 1949—1951 годов, составляла борьба с политической оппозицией. В те времена быть обвиненным в троцкизме было гораздо хуже, чем проходить по делу как антисоветчик или действительный шпион. У последних было больше шансов выжить.

За принадлежность к оппозиции судили. В подавляющем большинстве случаев даже не было суда в точном смысле этого слова. Приговоры выносились так называемыми тройками или особым совещанием при коллегии НКВД в административном порядке[1]. Оппозиционеров уничтожали безжалостно, вместе со

---

[1] Самые громкие процессы над оппозиционерами, «уклонистами» и «заговорщиками» проходили все же в суде, хотя сути дела это не меняет. — *Прим. ред.*

всеми членами семьи. Например, по делу А. Вознесенского, первого зампреда Совнаркома и члена Политбюро, было арестовано и подвергнуто репрессиям более 20 родственников. Хотя, как известно, Уголовный кодекс не содержал, да и не мог содержать статей, устанавливающих ответственность за принадлежность к политической оппозиции.

Юридической базой для расправ с инакомыслящими и вообще неугодными стало Постановление Центрального Исполнительного Комитета (ЦИК) СССР «О внесении изменений в действующие уголовно-процессуальные кодексы союзных республик» от 1 декабря 1934 года. В нем указывалось, что дела этого рода должны расследоваться в срок не более десяти дней, без участия сторон, с недопущением кассационного обжалования и подачи ходатайств о помиловании. Приговор к высшей мере наказания должен приводиться в исполнение немедленно по его вынесении.

В 1935 году с одобрения Сталина вводится пожизненная ссылка для так называемых трудпоселенцев, т. е. лиц, отбывших свое наказание в местах, не столь отдаленных и оставленных там на поселении «в целях освоения этих мест».

7 апреля 1935 года был принят закон об ответственности вплоть до смертной казни детей с двенадцатилетнего возраста. Он понадобился для давления на обвиняемых по политическим процессам, у которых были дети. На восемнадцатом году существования советской власти была введена смертная казнь для детей, и это ярче, чем все остальное, говорит

о чудовищной безнравственности этого строя и его правителей.

Верхом политического цинизма и правового беспредела стала директива ЦК партии о допустимости применения пыток по отношению к арестованным врагам народа. Сталин направил партийным органам и органам НКВД следующую телеграмму, в которой дал теоретическое обоснование допустимости пыток: «Применение методов физического воздействия в практике НКВД, начиная с 1937 года, разрешено ЦК ВКП(б)... Известно, что все буржуазные разведки применяют методы физического воздействия против представителей социалистического пролетариата, и притом применяют эти методы в самой отвратительной форме. Возникает вопрос: почему социалистические органы государственной безопасности должны быть более гуманны по отношению к бешеным агентам буржуазии и заклятым врагам рабочего класса и колхозников? ЦК ВКП(б) считает, что методы физического воздействия должны как исключение и впредь применяться по отношению к известным и отъявленным врагам народа и рассматриваться в этом случае как допустимый и правильный метод»[1].

Поскольку сами следователи определяли, кто из арестованных является врагом народа, пытки «как допустимый и правильный метод» превратились в общее правило деятельности НКВД. В том же 1937 году Ежов потребовал, чтобы указанная директива ЦК обязательно находилась на столе у следователей во время допросов врагов народа, что, конечно

---

[1] Цит. по: АП РФ. Ф. 3. Оп. 58. Д. 6. Л. 145—146.

же, способствовало расширению практики применения пыток.

Все перечисленные беспрецедентные и целенаправленные меры по нарушению процессуального и материального уголовного законодательства инициировались Сталиным либо одобрялись им. При этом нет никаких сомнений, что Сталин прекрасно отдавал себе отчет в противозаконном, более того — преступном характере перечисленных мер. Но это его не останавливало.

Э. Радзинский в своей книге о Сталине приводит разговор со Львом Шейниным, в сталинские времена следователем по особо важным делам Генпрокуратуры, расследовавшим, в частности, дело по убийству Кирова.

— Сталин приказал убить Кирова? — спросил писатель.

Шейнин улыбнулся и ласково ответил:

— Сталин был Вождь, а не бандит, голубчик[1].

Однако страшная правда состояла в том, что он был Вождем и бандитом одновременно. В молодости и зрелые годы — напомню, что к октябрю 1917 года ему было уже 38 лет, — участие в экспроприациях, убийствах состоятельных людей, нахождение в тюрьмах и ссылках сформировали у него психологию уголовника. Он и в политическую жизнь внес беспощадность уголовных разборок, соединив власть с преступлением. В итоге Сталин создал особую разновидность криминальной власти, которая не соблюдает ею же принятых законов, подчиняет их действие соображениям сиюминутной целесообразно-

---

[1] Цит. по: Э. *Радзинский*. Сталин. — М.: Вагриус, 1997.

сти, живет по двойным стандартам, одним для себя, другим — для всего остального населения страны. Пределы ей не поставлены, она с одинаковой легкостью может лишить жизни любого гражданина или репрессировать целый народ.

Борьбу с политическими противниками ведет любой правитель, но репрессии, обрушенные на страну Сталиным, были очевидно избыточными, не вызывались соображениями политической, стратегической целесообразности. Более того, Сталин развязал массовые репрессии после того, как достиг абсолютной единоличной власти, когда ему уже реально никто не угрожал.

Поэтому его подручным приходилось выдумывать несуществующие заговоры, шпионско-диверсионные центры и другие обвинения совершенно абсурдного характера.

Все политические процессы сталинского периода были постановочными. Обвинения по ним были придуманы следователями, а уже затем пытками и психологическим воздействием от обвиняемых получали необходимые признательные показания. После чего обвиняемых по нескольку месяцев готовили к публичному процессу, заставляли заучивать свои показания и свою роль в процессе.

Но на каждом процессе происходили проколы — недоразумения, ярко обнажавшие надуманный, постановочный характер этих мероприятий. Так было в 1936 году, когда судили Каменева, Зиновьева и др., и годом позже, на процессе Пятакова, Сокольникова, Серебрякова, Радека. В 1938 году нечто подобное приключилось в деле Бухарина, Рыкова, Крестинского, Раковского и прочих. Так, по первому процессу много шума наделал эпизод с гостиницей «Бристоль» в Копенгагене, в которой якобы останавливался Каменев, приезжавший туда для встречи с Троцким. Но, как оказалось, в Копенгагене гостиницы с таким распространенным европейским названием не было вообще.

В ходе второго процесса Пятаков показал, что летал из Берлина частным самолетом на остров Берген для встречи с Троцким, но последний обнародовал в мировой прессе документы норвежских властей о том, что ни один самолет в период, о котором говорил Пятаков, на острове не приземлялся.

Подобные ляпы были неизбежными при «показательных», открытых процессах с придуманным обвинением, но Сталин тем не менее шел на риск проведения подобных судилищ. Ему это было необходимо как в пропагандистских целях, чтобы убедить мировое общественное мнение и собственный народ в наличии внутренних врагов, бешено сопротивляющихся «успехам» социализма, так и для удовлетворения чувства личной мести по отношению к обвиняемым. Ничто не мешало Сталину их просто уничтожить без всякого суда, как это делалось им многократно по отношению к другим своим политическим противникам. Его не остановило бы и то обстоятельство, что все обвиняемые были крупными политическими и государственными деятелями, известными стране и миру.

Достаточно вспомнить такие сталинские акции, как тайный расстрел в 1936 году пяти тысяч оппозиционеров, которые отбывали различные сроки наказания в лагерях и тюрьмах. Аналогичную акцию он повторил летом 1937 года, когда по его указанию были тайно расстреляны еще пять тысяч оппозиционеров по так называемому второму списку[1]. Сталин не успокоился, пока не уничтожил бывшую оппозицию до последнего человека.

При подготовке открытых политических процессов 1935—1938 годов Сталин хотел решить сразу несколько задач. Во-первых, ему было нужно публичное признание подсудимыми своей вины в тяжких злодеяниях: заговорах, убийствах, шпионско-террористической деятельности. Во-вторых, ему нужно было преодолеть недоверие общественного мнения в стране и за рубежом по поводу того, как это вдруг вчерашние руководители страны, соратники Ленина, едва ли не поголовно оказались предателями, убийцами, диверсантами. В-третьих, он хотел наглядно показать всем, что никакая оппозиция его власти невозможна, и любого, кто выступит против него, ждет один конец!

Самое поразительное, что Сталину почти удалось решить все эти задачи. Если и были сомневающиеся в виновности подсудимых на организованных им политических процессах, особенно на Западе, то безоговорочные публичные признания и покаяния во время процессов убеждали даже скептиков. Да и до сих пор многие сталинисты продолжают доказывать реальный характер этих процессов, ссылаясь на искренность признаний и раскаяние подсудимых, которые сами требовали от суда для себя смертной казни.

---

[1] По данным, приведенным в: *А. Орлов.* Указ. соч.

Для получения требуемых Сталину признаний на этих процессах в ход шло все: пытки, истязания, шантаж, обещания сохранить жизнь, вплоть до принятия в апреле 1935 года закона о применении смертной казни к детям с 12 лет. История сохранила личные наставления Сталина руководству НКВД по этим процессам: «Поработайте над ними, пока они не приползут к вам на брюхе с признаниями в зубах... Навалитесь на них и не слезайте с них до тех пор, пока они не станут сознаваться!»[1]

И следователи поработали на славу. Ошеломленные неожиданным арестом, подавленные мыслями о судьбе близких, арестованные становились легкой добычей своих палачей. Они признавались во всем и клеймили себя почище своих обвинителей, какими бы невероятными ни выглядели приписываемые им преступления.

За десятилетия репрессий подручными Сталина под его личным присмотром и по его указаниям была отработана хитроумная и чудовищная, но безотказно действовавшая технология по ломке и уничтожению сначала личности человека, за которым следовала его физическая ликвидация.

Намеченную жертву из числа своих соратников Сталин обычно перед арестом отправлял на отдых, чаще всего в привилегированный санаторий для партработников, или объявлял о новом назначении. Нередко при этом он собственноручно вручал обреченному высокую государственную награду. Главное — изъять человека из привычной для него обстановки, лишить его воли к сопротивлению, чтобы последу-

[1] Цит. по: *А. Орлов*. Указ. соч.

ющий арест был для него абсолютно неожиданным, как снег на голову среди лета.

После чего арестованного начинали убеждать, что сопротивление бессмысленно, что выбор таков: бесславная смерть без всякого суда или раскаяние и спасение жизни при публичном признании своей вины. Он виновен перед партией тем, что был в оппозиции, теперь должен искупить вину, показать всему миру зловещие планы Троцкого и империализма против первой страны социализма. Как истинный большевик, он должен в интересах партии и страны осознать свою вину, разоружиться перед партией и т. д. К тому же признание спасет жизнь не только самому, но и близким, в первую очередь детям.

Если и это не действовало, в ход шли пытки и истязания в присутствии жены, детей и других близких людей. Арсенал средств воздействия у палачей был обширным. Непосредственно перед судом обвиняемых предупреждали, что все они связаны общей ответственностью. Если кто-то из них совершит «вероломство» и откажется от своих признаний, то это будет рассматриваться как организованное неповиновение всех с соответствующими последствиями.

Царские жандармы с их дореволюционными методами и практикой были просто детьми по сравнению со сталинскими заплечных дел мастерами из НКВД. Сталинский вклад в практику мучительств и издевательств над людьми не имеет себе равных в истории человечества прежде всего по масштабам репрессий. Когда им подвергаются миллионы, естественно, множится и разнообразие методов и способов уничтожения людей. Ведь истязаниями и убийствами миллионов также занимались не одиночки, а сотни тысяч и миллионы служителей НКВД и ГУЛАГа. Но главным палачом всегда был Сталин.

Почти во всех воспоминаниях современников о Сталине говорится о его злой, ничего не прощающей памяти и мстительности. Сладость мщения, стремление не просто уничтожить того, кого он считал своим врагом, но еще и унизить, раздавить, сломать, перед тем как уничтожить! Здесь Сталину не было равных. Подобно Чингисхану и Тамерлану, он любил наслаждаться зрелищем мучений и казни поверженных врагов. Вождь терпеть не мог, если намеченная им жертва уходила от возмездия, даже совершая самоубийство, как, например, Томский или Гамарник.

В том, как Сталин организовывал репрессии и политические процессы тридцатых годов, несомненно присутствует болезненный налет, патологическая составляющая. Но вместе с тем всегда, несмотря на кажущуюся абсурдность обвинений и гонений, в них прослеживается железная логика, между прочим, любимый предмет Сталина-семинариста. Наказуемо любое отступление от догм марксистско-ленинского учения в его сталинской интерпретации, наказуемы любые попытки проявления инициативы и самостоятельности мысли. Человеку определена роль винтика в огромном механизме социалистической системы. Всякая попытка выйти за эти пределы пресекается и карается как тяжкое преступление. Такой порядок вещей Сталин считал единственно справедливым и поддерживал его всеми средствами.

Но Сталин не только преследовал и карал. Он постоянно занимался вопросами создания благоприятного идеологического и культурного образа своей империи в глазах собственного населения и мирового общественного мнения. Он не только написал множество книг и статей, пропагандирующих ленинизм, естественно, так, как он его понимал, но и уделял невероятно много для политического деятеля его уровня времени и внимания вопросам литературы, искусства, культуры. Ни один государственный деятель в России ни до, ни после Сталина не занимался этими вопросами в таком объеме. Постановлений ЦК, посвященных общим вопросам литературы и отдельным книгам, работе литературно-художественных журналов, кинофильмам, музыкальным произведениям и композиторам и т. д., было принято при Сталине едва ли не больше, чем по вопросам развития промышленности или сельского хозяйства.

Он часто приглашал к себе писателей, актеров, режиссеров и других деятелей культуры, просматривал каждую новую советскую кинокартину. Когда после войны у него уже не хватало на это времени, так как производство фильмов выросло, он отдал указание сократить производство художественных фильмов.

Он не только учредил Сталинские премии за выдающиеся достижения в литературе, искусстве и науке, но и сам принимал участие в работе комитета по присуждению этих премий, обнаруживая при этом поразительное знание обсуждаемых произведений. Было очевидно, что все романы и повести, выдвинутые на соискание Сталинской премии, он читал либо просматривал.

Отец народов любил ходить в театры, создавая этим немало проблем своим охранникам и администрации театров. Больше всего он любил Большой и Художественный театры. В Большом Вождь по многу раз смотрел балеты Чайковского и слушал русские оперы. Репертуар Большого театра во многом формировался под вкусы Сталина, а они были достаточно традиционными, если не сказать точнее — примитивными. Разных там новаций, формалистических, недоступных его пониманию, он не любил. Поэтому в его устах слово «формализм» было ругательным. Его идеологические подручные боролись с формализмом и прорабатывали формалистов во всех областях культуры. Это было излюбленным обвинением и темой доносов, а в годы репрессий приравнивалось к вредительству и измене родине. Клеймо «формалистов» в разное время имели практически все крупные писатели и композиторы, художники и режиссеры — Мейерхольд и Шостакович, Прокофьев и Таиров, Фальк и Филонов, Платонов и Маяковский и т. д.

А суть обвинений была одна: сложно, непонятно для народа. Искусство должно служить народу, а если оно непонятно для него, т. е. для Сталина, который всерьез отождествлял свои вкусы и художественные оценки со вкусами народа, то оно враждебное, ненужное, вредное. Подобной общей установки было достаточно, чтобы многочисленные прихлебатели от литературы, театра, музыки, как правило, не блиставшие собственными талантами, объявили борьбу «формализму» настоящих творцов и в процессе этой борьбы монополизировали собственное положение и взгляды в соответствующей сфере культуры. Подобные окололитературные, околотеатральные, околомузыкальные и тому подобные деятели находили полную поддержку и понимание у партийных чиновников, людей с малоразвитым художественным вкусом, а главное, живущих, по точному выражению А. Антонова-Овсеенко, под знаком трех «у»: угадать, угодить, уцелеть.

Так по кругу, беспрерывно на протяжении нескольких десятилетий в сферу духовной, культурной, творческой жизни страны внедрялись усредненность, посредственность, безликость, идеологическая профильтрованность, что не могло не сказываться на результатах творческой деятельности.

Старомодные, консервативные вкусы вождя, не поднимавшиеся выше культурного уровня не особо продвинутого «сознательного пролетария», превращались в официальный эталон, закреплялись в виде эстетических норм, отступление от которых к тому же было наказуемо. Все это пагубно сказывалось на развитии советской культуры. Ни о каком расцвете «социалистической по форме, национальной по содержанию» культуры не могло быть и речи. Как и во всем, в сфере культуры количество подменяло собою качество. По настоящему яркие, талантливые произведения появились не вследствие, а вопреки общей тенденции на идеалистическую стерильность и усредненность творчества. К тому же главной целью литературы и искусства становилось прославление и возвеличивание великого вождя и его детища — «социализма», что не очень то способствовало подъему творчества и приливам вдохновения.

Чтобы поставить под контроль и ввести в требуемые рамки всю жизнь и деятельность творческой интеллигенции, Сталин придумал и внедрил универсальную модель новых творческих союзов писателей, художников, композиторов и т. д., которые были построены по модели компартии — демократический централизм, выборные органы — и полностью подчинены ей. Такая организация творческой деятельности создавала иллюзию независимости творческих союзов от государства, так как они формально не были включены в состав государственных структур, как это было, например, в гитлеровской Германии, где соответствующие творческие организации были открыто подчинены департаментам министерства пропаганды и просвещения Третьего рейха. В то же время партийный контроль над этими организациями, как идеологический, так и организационный, был куда более жестким и всеобъемлющим, чем государственный, если бы они юридически были превращены в государственные структуры.

Сталин и здесь оказался умнее и изощреннее своего нацистского прототипа. Подобная организация всей сферы культуры позволила ему не только жестко отслеживать и контролировать эту наиболее неудобную для любого диктатора область государственной и общественной жизни, но и продуманно, последовательно формировать новую творческую элиту, назначать «лучших и талантливейших поэтов нашей эпохи», главных писателей и композиторов, великих режиссеров и актеров.

Из книги Василия Гроссмана «Жизнь и судьба»:

«Телефонные звонки Сталина! Раз в год или два по Москве проходил слух: Сталин позвонил по телефону кинорежиссеру Довженко, Сталин позвонил по телефону писателю Эренбургу.

Ему не нужно было приказывать — дайте такому-то премию, дайте квартиру, постройте для него научный институт! Он был слишком велик, чтобы говорить об этом. Все это делали его помощники, они угадывали его желания по выражению его глаз, по интонациям голоса. А ему достаточно было добродушно усмехнуться человеку, и судьба человека менялась — из тьмы, из безвестности человек попадал под дождь славы, почета, силы. И десятки могущественных людей склоняли перед счастливцем головы — ведь Сталин улыбнулся ему, пошутил, говоря по телефону.

Люди передавали подробности этих разговоров, каждое слово, сказанное Сталиным, удивляло их. Чем обыденней было слово, тем больше поражало оно. Сталин, казалось, не мог произносить обиходные слова...

Одно его слово могло уничтожить тысячи, десятки тысяч людей. Маршал, нарком, член Центрального комитета партии, секретарь обкома — люди, которые вчера командовали армиями, фронтами, властвовали над краями, республиками, огромными заводами, сегодня по одному гневному слову Сталина могли обратиться в ничто, в лагерную пыль, позванивая котелочками, ожидать баланды у лагерной кухни...

Ведь по одному его слову возникали огромные стройки, колонны лесорубов шли в тайгу, стотысячные людские массы рыли каналы, возводили города, прокладывали дороги в крае полярной ночи и вечной мерзлоты. Он выразил в себе великое государство.

Солнце сталинской конституции. Партия Сталина... сталинские пятилетки... сталинская стройка... сталинская стратегия... сталинская авиация... Великое государство выразило себя в нем, в его характере, в его повадках».

Наибольшую известность получили телефонные звонки Сталина Пастернаку, Булгакову, Станиславскому, Довженко, Эренбургу, Иоффе, Тарле и некоторым другим представителям интеллигенции.

С годами идеологические требования и рамки становятся все более жесткими и формализованными. Особенно строгие требования предъявляются к произведениям, в которых действуют вожди революции. Всякое упоминание в романе или пьесе имен Ленина или Сталина, а также других вождей революции требовало соответствующего согласования с партийными инстанциями. С одной стороны, в партийных директивах по вопросам развития литературы и искусства постоянно говорилось об их отставании от требований жизни, о недостаточном показе успехов социализма и роли великого вождя; о том, что писатели и художники в «неоплатном долгу перед народом».

С другой — предъявлялись такие требования и устанавливался такой жесткий партийно-чиновничий контроль за художественным воплощением образа вождя, что никакое действительно талантливое произведение на эту тему появиться просто не могло. Широко известны случаи, когда Сталин лично вмешивался и запрещал те или иные произведения о себе, например пьесу М. Булгакова «Батум» или «Юность вождя», «Рассказы о детстве Сталина» и др.

Для него было обычным делом, нормальной работой чтение рукописей книг и сценариев кинофильмов на исторические темы, в частности тех из них, в которых Ленин или он сам выступали действующими лицами. При этом его цензорская деятельность не исчерпывалась только запретами. Нередко он превращался в соавтора, давая подробные указания автору, что и где нужно исправить, какие сцены дописать и т. д.

Характерна в этом смысле история, происшедшая с фильмом «Ленин в Октябре», премьера которого состоялась на юбилейном вечере в Большом театре 6 ноября 1937 года. Создатель фильма М. Ромм вспоминал, что после показа фильма, прошедшего с большим успехом — еще бы, стоя аплодировали сам Сталин и члены Политбюро! — его известили о том, что, по мнению Сталина, без ареста Временного правительства и штурма Зимнего дворца крах буржуазного правительства России будет неясен. Поэтому необходимо доснять эти сцены, а до этого времени картина снимается со всех экранов. После такого известия М. Ромм первый раз в жизни упал в обморок, но уже на следующий день начал переделывать фильм. После круглосуточной работы в течение месяца требуемые кадры были досняты, картина переделана в соответствии с указаниями Сталина и одобрена им. Фильм этот имел большой успех и вошел в классику советского кино, а его создатели впоследствии были удостоены Сталинских премий первой степени.

С возрастом художественные вкусы Сталина приобретают ярко выраженный имперский характер. Пышность, помпезность, массовость зрелищных мероприятий, сопровождаемых фанфарами и славословиями в его адрес, множество молодых, ловких и красивых тел и лиц на физкультурных парадах, мощь боевой техники и стройность марширующих рядов на военных парадах и т. п. давали ему высшее чувство удовлетворения и довольства. Подобно римским императорам он наслаждался зрелищем собственного триумфа. Налет его вкуса навсегда остался на фасадах зданий «сталинской архитектуры», в имперской пышности постановок Большого театра, в праздничном оформлении первомайских и октябрьских демонстраций, в традициях умелой организации массовых зрелищ, в тяжеловесной величавости песенной, хоровой и маршевой музыки послевоенного времени и т. д. Без преувеличения можно сказать, что Сталин как никто другой повлиял на формирование эстетических вкусов нескольких поколений советских людей.

Во многих книгах и статьях, посвященных Сталину, ему посмертно были поставлены различные диагнозы психиатрического характера: паранойя, маниакально-депрессивный психоз, шизофрения. Утверждали, что первым диагностировал у Сталина паранойю великий русский ученый-психиатр В. Бехтерев, за что и поплатился жизнью[1]. Однако при всем соблазне списать преступления и грехи сталинского правления на его заболевание для этого нет достаточных объективных оснований.

Врачи, наблюдавшие Сталина либо изучавшие его медицинские документы, отмечают целый набор личных качеств, носивших явно выраженный патологический характер: эмоциональную тупость, грубость, подозрительность, мстительность, внушаемость. Сами по себе, взятые по отдельности, эти качества еще не свидетельствуют о наличии психического заболевания у их носителя. Вместе с тем подобное сочетание, такой набор этих качеств с определенностью говорят об известной патологии личности, о ее психопатическом характере, но опять-таки не о наличии органического заболевания психического свойства.

Здесь другое. Как писал В. О. Ключевский об Иване Грозном: «К сожалению, одно обстоятельство сообщило описанным свойствам значение гораздо более важное, чем какое обыкновенно имеют психологические курьезы, появляющиеся в людской жизни: Иван был Царь»[2]. Сталин же был больше, чем царь: Вождь, Хозяин страны с такой безграничной властью над подданными, о которой и помыслить не мог его грозный предшественник.

Без всяких изъятий для характеристики сталинского характера может быть использован и следующий фрагмент из описания В. О. Ключевским ха-

---

[1] В частности, такая версия была обнародована в статье О. Мороза «Последний диагноз» в «Литературной газете» в 1988 г. — *Прим. ред.*

[2] Цит. по: *В. О. Ключевский. Указ. соч.*

рактера Ивана Грозного: «При подозрительном и болезненно возбужденном чувстве власти он считал добрый прямой совет посягательством на свои верховные права, несогласие со своими планами — знаком крамолы, заговора и измены»[1].

Подозрительное и болезненно возбужденное чувство власти, иначе говоря, обостренное до невероятных пределов властолюбие — вот истинный диагноз Сталина. Если судить по катастрофическим последствиям для целых народов и стран деятельности таких властолюбцев, буквально одержимых жаждой власти, как Чингисхан, Наполеон, Сталин, Гитлер, Мао Цзэдун и др., то можно, конечно, отнести властолюбие к опасной для окружающих разновидности психического заболевания. Но это скорее болезнь не в медицинском, а в социально-нравственном смысле.

---

[1] Цит. по: *В. О. Ключевский*. Указ. соч.

ПУНКТ 5

Национальность

Печально знаменитый пятый пункт во всех анкетах советского периода. По «пятому пункту» решали вопрос о приеме на работу, в высшие учебные заведения. Например, советские немцы с 1941-го и до конца семидесятых годов не могли в СССР получить высшее образование по специальному распоряжению, подписанному еще Сталиным и формально отмененному лишь во времена Горбачева. По нему выселяли на жительство в отдаленные места, осуждали на длительные сроки лишения свободы или даже расстреливали. Смертельно опасно, например, было быть поляком в 1939 году или евреем — в конце пятидесятых. Именно тогда появилось горькое выражение «инвалид пятой группы». Поскольку для настоящих инвалидов существовало только три группы, все понимали, о чем идет речь.

Из книги В. Гроссмана «Жизнь и судьба»:

Вот пятый пункт. Такой простой, незначащий в довоенное время, и какой-то чуть-чуть особенный сейчас...

Он не знал, что будет вскоре значить для сотен тысяч людей ответить на пятый вопрос ан-

кеты: калмык, балкарец, чеченец, крымский тата-
рин, еврей...

Он не знал, что год от года будут сгущаться
вокруг этого пятого пункта мрачные страсти,
что страх, злоба, отчаяние, безысходность, кровь
будут перебираться, перекочевывать в него из со-
седского шестого пункта «социальное происхожде-
ние», что через несколько лет многие люди станут
заполнять пятый пункт анкеты с чувством рока,
с которым в прошлые десятилетия отвечали на
соседний шестой вопрос дети казачьих офицеров,
дворян и фабрикантов, сыновья священников.

Вообще во времена Сталина в Советском Союзе
национальности придавалось исключительно важное
значение, особенно при отборе руководящих кадров.
Сомнительность собственного происхождения и национальной принадлежности создавало, по-видимому,
у Сталина определенный комплекс неполноценности
(комплекс нерусскости), выражавшийся в пристраст-
ном отношении к национальности любого, с кем его
сталкивала жизнь, что, в общем-то, ненормально для
коммуниста-интернационалиста, каким он себя сам
считал. Хотя, с другой стороны, ведь именно Сталин был первым народным комиссаром по делам национальностей в первом советском правительстве и
всегда считал себя самым крупным специалистом по
национальному вопросу.

По рождению и по паспорту Сталин был грузином. Но, став вождем, стремился избавиться от этого
своего «недостатка» — нерусского происхождения,
подчеркнуто проповедуя и проводя в жизнь русифи-

каторские идеи в национальном вопросе. Лучше всех национальность Сталина определил его сын Василий, который, будучи десятилетним мальчиком, сообщил своей сестре Светлане необычную новость: «А знаешь, наш отец раньше был грузином!» Сталин так и говорил о себе: «Я русский грузинского происхождения». С. Аллилуева вспоминает: «Вообще же, грузинское не культивировалось у нас в доме — отец совершенно обрусел»[1].

Но и перестав быть грузином, Сталин до конца жизни продолжал особенно настойчиво бороться с проявлениями «недобитого грузинского национализма», а точнее, с грузинской интеллигенцией, которую он искренне ненавидел и которая столь же искренне его презирала.

О национальности Сталина, как и обо всем, что связано с его личной жизнью, бытуют различные версии. В литературе, посвященной Сталину, содержатся утверждения об осетинских или еврейских корнях его происхождения по отцу.

Известно, что Г. Зиновьев называл его кровавым осетином.

О. Мандельштам в известном стихотворении, за которое он заплатил своей жизнью, также пишет об этом:

> *Мы живем, под собою не чуя страны,*
> *Наши речи за десять шагов не слышны.*
> *А где хватит на полразговорца,*
> *Там припомнят кремлевского горца.*

---

[1] Цит. по: *С. Аллилуева*. Двадцать писем к другу. — Нью-Йорк, Harper & Row, 1967.

Его толстые пальцы, как черви, жирны,
А слова, как пудовые гири, верны,
Тараканьи смеются усища,
И сияют его голенища.

А вокруг него сброд тонкошеих вождей,
Он играет, услугами полулюдей,
Кто свистит, кто мяучит, кто хнычет,
Он один лишь бабачет и тычет.

Как подковы, кует за указом указ —
Кому в пах, кому в лоб, кому в бровь,

кому в глаз.
Что ни казнь у него, то малина,
И широкая грудь осетина.

Правда, существует и другая версия последней строки этого стихотворения: «И широкая жопа грузина».

Многие авторы, писавшие о Сталине (В. Максимов, И. Крылов, Р. Коммос и др.), утверждают, что он был грузинским полуевреем — незаконнорожденным сыном богатого еврейского торговца по фамилии Паписмедашвили, в доме которого работала прислугой его мать. В 1991 году заместитель генерального прокурора России В. Киракозов на официальном бланке, отвечая по запросу по одному из уголовных дел, «подтвердил» еврейское происхождение Керенского, Сталина, Гитлера, Берии.

Бытует мнение, что именно это обстоятельство — незаконнорожденность происхождения от еврейского отца — и было причиной его антисемитизма. О том, что Сталин всегда был антисемитом, пишет, например, Б. Бажанов, его помощник в начале двадцатых годов: «Когда это надо было скрывать, Сталин это тщательно скрывал. С 1931—1932 годов, чтобы скрывать свой антисемитизм, у Сталина были серьезные политические соображения — в Германии пришел к власти открытый антисемит Гитлер, и, предвидя возможность столкновения с ним, Сталин не хотел возбуждать враждебность к себе еврейского мира»[1].

Оба великих диктатора XX столетия, Сталин и Гитлер, были поражены вирусом антисемитизма. Но если для Гитлера идея расовой чистоты и необходимости «окончательного решения еврейского вопроса» стала определяющей в его идеологическом и политическом курсе, что во многом предопределило крах «тысячелетнего рейха», то у Сталина мы наблюдаем достаточно сложную эволюцию его взглядов на еврейский вопрос.

Некоторые авторы и источники отмечают у Сталина несвойственный, в общем-то, для грузин бытовой антисемитизм с детских лет, причину которого усматривают в той нищете и униженности, в которой жила семья, когда его мать была вынуждена зарабатывать на жизнь, прислуживая в семьях богатых горийских евреев. Но после исключения из семинарии он оказался в среде революционеров, в марксистской среде, в которой было много евреев и господствовал, напротив, дух интернационализма, что не могло не сказаться на поведении и взглядах Сталина в эти годы.

Первая открытая вспышка антисемитизма наблюдается у него в ходе борьбы за власть в партии и стране против Троцкого, а затем Зиновьева, Каменева, Рыкова и других. Сталин сумел придать этой

---

[1] Цит. по: *Б. Бажанов.* Указ. соч.

борьбе оттенок борьбы с еврейским засильем в партийном руководстве, в чем и был поддержан той частью новых членов партии, что пришли в нее на волне революции и Гражданской войны.

В тридцатые годы, в период противостояния с Гитлером, Сталин по соображениям политической целесообразности, напротив, демонстрирует лояльность к евреям, выдвигая их на государственные должности, награждая орденами и премиями, а во внешней политике неизменно выступает с осуждением расизма и антисемитизма. Что не помешало ему в эти же годы провести процессы над бывшими оппозиционерами из партийного руководства, которые в значительной своей части были евреями, и казнить их. После чего была проведена чистка от евреев и в органах НКВД.

Новый всплеск антисемитизма, приобретший вскоре характер государственной политики, начался у Сталина в 1943—1944 годах, когда стало ясно, что война выиграна. На волне патриотического подъема, вполне естественного в тяжелейшие военные годы, постепенно в сознание масс начинает внедряться идея о том, что во всех государственных учреждениях и институтах должны преобладать русские. Там, где этого нет, в частности в Большом театре, в консерватории и в других учреждениях культуры, а также в среде театральных критиков, среди которых тогда оказалось наибольшее количество евреев, — нужно освобождаться от еврейского засилья, от преобладания евреев и т. п.

Первоначально антисемитская кампания разворачивается в сфере культуры и в тех ее областях —

кинематографии, литературе, критике, — где преобладание лиц еврейской национальности действительно имело место. Одна идеологическая кампания с антисемитским привкусом в послевоенные годы сменяется другой. Борьба с «безродными космополитами», кампания по разоблачению псевдонимов и др., которые велись под флагом утверждения подлинного советского патриотизма, в действительности же имели ярко выраженную антисемитскую окраску.

За ними последовало дело «Еврейского антифашистского комитета» с расстрелом ряда видных еврейских деятелей культуры, с закрытием еврейских газет, журналов и театров, а затем было убийство С. Михоэлса и арест многих представителей интеллигенции еврейского происхождения.

Как раз в этот период «еврейский вопрос» приобретает для Сталина характер семейного дела — его единственная и любимая дочь Светлана выходит замуж за еврея.

Из воспоминаний С. Аллилуевой:

«— Сионисты подбросили и тебе твоего первого муженька, — сказал мне некоторое время спустя отец.

— Папа, да ведь молодежи это безразлично, какой там сионизм? — пыталась возразить я.

— Нет! Ты не понимаешь! — сказал он резко. — Сионизмом заражено все старшее поколение, а они и молодежь учат...

Спорить было бесполезно»[1].

---

[1] Цит. по: *С. Аллилуева*. Двадцать писем к другу. — Нью-Йорк, Harper & Row, 1967.

Завершилось все это печально знаменитым делом врачей, «убийц в белых халатах», которые якобы по заданию американской и израильской разведок организовали в тридцатые годы убийство ряда видных деятелей партии и государства, покушались на убийство высших военных чинов, а также готовили убийство самого Сталина.

Дело врачей стало апофеозом юдофобской, антисемитской кампании в стране, которая приобрела явно болезненные формы. Антисемитизм престарелого диктатора в конце пятидесятых годов вышел за обычные для Сталина рамки политической целесообразности, разумеется, так, как он их понимал, и приобрел явно параноидальный характер. В конце жизни Сталин, подобно Гитлеру, стал вынашивать планы «окончательного решения» еврейского вопроса в стране.

Существуют неопровержимые доказательства того, что Сталин готовил массовую депортацию евреев в Сибирь и на Дальний Восток, где их ждала заблаговременно, еще в тридцатые годы созданная Еврейская автономная область — для благонадежных евреев, и более 100 новых концлагерей, указания о строительстве которых были даны Берии в конце 1952 года, — для неблагонадежных евреев. Только смерть помешала Сталину осуществить эти «грандиозные» замыслы.

По иронии судьбы Сталин умер 5 марта — в день, когда должен был начаться судебный процесс по делу врачей. С его смертью разгул антисемитских страстей прекращается, но отдельные последствия нагнетания антисемитской истерии в послевоенные годы

Россия ощущает до сих пор. Излишне говорить, что после смерти Сталина процесс по делу врачей так и не состоялся, и вскоре было объявлено о прекращении дела и оправдании обвиняемых.

Рассуждать о причинах патологических проявлений даже у великого человека — занятие достаточно неблагодарное, поскольку сам их носитель вряд ли сумел бы или захотел бы дать внятное объяснение по поводу их причин.

Антисемитизм Сталина складывался в течение всей его жизни.

В детстве, по-видимому, под влиянием бедности собственной семьи и богатства соседей-евреев, а также досужих разговоров и сплетен о собственной матери, которая прислуживала в домах богатых горийцев, в том числе евреев.

В зрелом возрасте из-за преобладания в большевистском руководстве образованных и талантливых евреев, на фоне которых Сталин не мог не ощущать своей интеллектуальной и культурной ущербности. Один из них — Лев Троцкий (Бронштейн) стал его злым гением на протяжении почти всей жизни.

В старости неприязнь Сталина к евреям приобрела маниакальный характер. Ему повсюду чудились происки сионистов.

В частности, в конце тридцатых годов он «вдруг» обнаружил, что его ближайшие сподручные: Молотов, Калинин, Ворошилов, Андреев, Поскребышев и др. — женаты на еврейках, которые были тут же подвергнуты репрессиям. Их мужей обвинили в сотрудничестве с сионистами из «Джойнта», международной еврейской организации, уже упоминавшейся выше.

Широко известен анекдот начала тридцатых годов, авторство которого приписывается К. Радеку.

Что общего у Сталина с Моисеем?

Ответ: Моисей вывел евреев из Египта, а Сталин — из Политбюро.

Действительно, при Сталине руководящая прослойка компартии, состоявшая при Ленине по преимуществу из евреев, была почти полностью уничтожена и заменена другими людьми. К концу жизни Сталина в руководящей элите Советского Союза евреев почти не осталось, а в Политбюро — только Каганович. Но это было как раз то исключение, что подтверждает общее правило.

Необходимо подчеркнуть, что если антисемитизм Сталина сомнений не вызывает, то слухи о его полуеврейском происхождении как о едва ли не главной причине этого явления, относятся к области недоказуемых, скорее мифических предположений.

Будучи народным комиссаром по делам национальностей в первом советском правительстве, Сталин не оставил каких-либо заметных следов своей деятельности на этом посту. Не было крупных идей, инициатив или решений, которые вошли бы в историю этого периода деятельности Сталина, если не считать его столкновения с Лениным по вопросу об «автономизации» национальных республик.

По мысли Сталина, все национально-государственные образования, включая национальные республики, должны были войти в состав единого государства — Российской Федерации (РСФСР) на правах автономий. Позиция Ленина была иной: добровольное объединение независимых республик, включая и РСФСР в новое государство — Союз Советских Социалистических Республик, что и было осуществлено на I съезде Советов, открывшемся 30 декабря 1922 года. Именно тогда была создана та государственно-правовая конструкция, которая 69 лет спустя привела к крушению единой российской государственности. Ретроспективно следует признать, что позиция Сталина по вопросу об «автономизации» национальных республик более соответствовала национальным интересам России, чем ленинская позиция, объективно приводившая к ущемлению интересов русского народа в рамках такого союза.

Но это столкновение произошло позднее, в мае-июне 1922 года, когда Сталин был уже не наркомом по делам национальностей, а генеральным секретарем компартии.

Другой конфликт также на «национальной» почве произошел между Лениным и Сталиным осенью 1922 года из-за самоуправства и бесчинств комиссии, возглавлявшейся Сталиным, в которую входили также Орджоникидзе и Дзержинский. Она была направлена Политбюро в Грузию, чтобы на месте разобраться в ситуации после очередного восстания грузин против большевиков. Ленин был возмущен, узнав о фактах самоуправства, грубости и даже рукоприкладства по отношению к руководителям грузинской компартии со стороны членов этой комиссии, и потребовал партийного разбирательства этой истории и примерного наказания виновных.

Один из последних в своей жизни документов Ленин продиктует 6 марта 1923 года именно по этому «грузинскому инциденту»:

«Т. т. Мдивани, Махарадзе и др. Копия — т. т. Троцкому и Каменеву.

Уважаемые товарищи!

Всей душой слежу за вашим делом. Возмущен грубостью Орджоникидзе и потачками Сталина и Дзержинского. Готовлю для Вас записки и речь.

С уважением. Ленин»[1].

Однако он уже не приготовит ни записок, ни речи по этому вопросу, так как вскоре после этого болезнь лишит его возможности не только писать, но и диктовать.

В дальнейшем по мере утверждения личной власти Сталина в партии и государстве национальный вопрос постоянно будет возникать в его речах и действиях как средство борьбы с врагами, «недобитыми националистами» всех мастей; как способ разделения и противопоставления одних народов другим — посредством создания искусственных национально-государственных образований, путем произвольного изменения границ между республиками и, наконец, политикой выселения и переселения целых народов, русификации малых народностей и т. д.

Все межнациональные конфликты, возникшие в перестроечное и посткоммунистическое время, были заложены именно сталинской национальной политикой. Карабахский конфликт, избиение и выселение турок-месхетинцев из Узбекистана, абхазско-гру-

---

[1] Цит. по: *В. И. Ленин.* Полное собрание сочинений. Т. 54, с. 330.

зинское противостояние, проблема Южной Осетии и т. д. — во всех случаях можно проследить, как произвольные государственные решения, принятые в свое время, стали минами, заложенными под будущее многих народов. Включение Нагорного Карабаха, населенного армянами, в состав Азербайджана, ликвидация Абхазской республики и включение ее в состав Грузии на правах автономии, переселение турок-месхетинцев из Грузии в Узбекистан, разделение осетинского народа на Северную Осетию и Южную Осетию, включенную в состав Грузии, — вот истинные причины последующих межнациональных войн и конфликтов. А произвольная передача российских губерний Украине и Казахстану? А выселение целых народов: крымских татар, русских немцев, чеченцев, калмыков, карачаевцев и др.? Все это и есть сталинская национальная политика, осуществлявшаяся по старому британскому колонизаторскому принципу: разделяй и властвуй!

Особое место в политике Сталина на протяжении всего времени нахождения его у власти занимает борьба с «буржуазными националистами», которые якобы стремятся разрушить братскую семью народов СССР и подготавливают выход своих республик из состава Советского Союза. Он постоянно возвращается к этой теме, когда, по его мнению, возникает надобность в чистке аппарата в той или иной национальной республике.

Обвинения в буржуазном национализме и сепаратизме наряду с обвинениями в троцкизме и уклонизме от генеральной линии партии были стандартными и наиболее распространенными во всех чистках сталинского времени. Только в Грузии, которая всегда находилась под подозрением у вождя, прошло шесть кампаний по борьбе с национализмом, которые всегда заканчивались одним и тем же: массовыми арестами партийных работников, государственных чиновников, руководителей предприятий и деятелей культуры, т. е. каждый раз практически полным обновлением республиканской элиты.

Уже в послевоенные годы кампании по борьбе с буржуазным национализмом прошли на Украине, в республиках Прибалтики, в Молдавии и кавказских республиках. Особенно обширными были репрессии по так называемому мингрельскому делу в Грузии. Суть сталинской национальной политики состояла в русификации партийно-государственного аппарата, в котором на местах преобладали представители не коренного населения, а выходцы из других республик — те, кого сегодня в бывших республиках Советского Союза называют русскоязычным населением, отказе в делопроизводстве на родном языке и переходе на русский язык во всех видах учебных заведений, от школ до университетов, насильственной ассимиляции малых народов и т. д. Одним из проявлений такой политики было, например, то, что при призыве в армию выходцы из одной республики, к примеру Украины, обязательно должны были проходить военную службу на территории других республик, а выпускники высших и средних специальных учебных заведений тоже, как правило, направлялись на работу не по месту жительства, а в одну из национальных республик под предлогом укрепления кадров.

Подобная практика не могла не накапливать глухого и глубокого недовольства существующим положением вещей, которое прорвалось наружу при первых признаках либерализации режима и ослабления диктатуры.

Все коммунистические вожди, начиная с Ленина, находились в плену доктрины пролетарского интернационализма, полагая, что классовая солидарность куда важнее национальной принадлежности. Поэтому их политика была направлена по существу против самого понятия национальности. Они верили, что в процессе построения социализма национальные различия между людьми в конце концов исчезнут и возникнет новая общность людей, не знающих ни национальных, ни социальных различий. И то, и другое оказалось неосуществимой утопией, принесшей людям только зло. Попытка принудительно создать коммунистический рай на Земле обернулась адом для сотен миллионов людей. Одно из последствий этой авантюры — бесчисленные межнациональные конфликты на территории распавшегося Советского Союза, выросшие на почве подавленного, оскорбленного, но никогда не исчезавшего национального чувства.

ПУНКТ 6

Социальное происхождение

Во всех дореволюционных полицейских документах о происхождении Сталина было записано: «Иосиф Виссарионович Джугашвили, грузин из крестьян». В действительности же родители Сталина, хотя и происходили из крестьянских семей, сами крестьянами не были и крестьянским трудом никогда не занимались.

Отец Сталина, Виссарион Иванович Джугашвили, имел профессию сапожника, сначала работал в Гори, а затем в Тифлисе на большой кожевенной и обувной фабрике Адельханова. Хотел и сына приспособить к своей профессии, но жена не дала.

Екатерина Георгиевна Джугашвили, в девичестве Геладзе, решила, что их единственный сын — два старших брата Сталина умерли в младенческом возрасте — станет священником, и настояла, чтобы он поступил учиться в Горийское духовное училище.

Решение это было продиктовано нежеланием, чтобы сын приобщился к грубой и разгульной жизни, которой жил его отец. Сыграла свою роль и глубокая религиозность матери, всю свою жизнь сожалевшей, что ее Сосо не стал священником. К тому же иного специального образования получить в Гори в те годы не было возможности по причине отсутствия других учебных заведений, а посылать Иосифа учиться в другой город просто не было денег.

Семья жила в крайней бедности, если не сказать в нищете. Отец пропивал все, что зарабатывал. Жили на то, что зарабатывала мать, прислуживавшая в домах богатых горийцев. По-современному говоря, Сталин был ребенком из неблагополучной семьи.

Пьяница-отец нередко бил и жену, и сына. Первые уроки жестокости Сталин получил дома. В годы детства Иосифа его отец уже жил и работал в Тбилиси. Семью навещал наездами, изредка. Впоследствии, к концу девяностых годов, он вообще работу бросил, стал бродяжничать. Умер предположительно в 1909 году, но неизвестно, где, когда и при каких обстоятельствах. По одним сведениям, он, как и его младший брат Георгий, погиб в пьяной драке, по другим — скончался от тифа в Михайловской больнице и захоронен в братской могиле на Кунистском кладбище в Тбилиси.

Если и существовали документы и свидетельства о его смерти, то Сталин, по-видимому, их уничтожил. Став вождем, он не любил упоминаний о своем прошлом, о своих родителях и лишь однажды в беседе с немецким писателем Эмилем Людвигом он затронул эту тему...

Из книги В. Гроссмана «Жизнь и судьба»:

Социальное происхождение ...Это был ствол могучего дерева, его корни уходили глубоко в землю, его ветви широко расстилались над просторными листами анкеты: социальное происхождение матери и отца, родителей матери и отца... социальное происхождение жены, родителей жены... если вы в разводе, *социальное происхождение бывшей жены,* чем занимались ее родственники до революции.

Великая революция была социальной революцией, революцией бедноты. В шестом вопросе, всегда казалось Штурму, естественно выражалось справедливое недоверие бедноты, возникшее за тысячелетия господства богатых.

...Мне ясно: ужасно убивать евреев за то, что они евреи. Ведь они люди, каждый из них человек — хороший, злой, талантливый, глупый, тупой, веселый, добрый, отзывчивый, скаред. А Гитлер говорит: все равно, важно одно — еврей! И я всем существом протестую.

Но ведь у нас такой же принцип — важно, что не дворянин, важно, что из кулаков, купцов. А то, что они хорошие, злые, талантливые, добрые, глупые, веселые — как же? А ведь в наших анкетах речь идет даже не о купцах, священниках, дворянах. Речь идет об их детях, внуках. Что же у них дворянство в крови, что ли? Ведь чушь! Софья Перовская была генеральская дочка, не просто генеральская, губернаторская. Гнать ее! А Комиссаров, полицейский прихвостень, который схватил Каракозова, ответил бы на шестой пункт: «из мещан». Его бы приняли в университет. А ведь Сталин сказал: «Сын за отца не отвечает». Но ведь Сталин сказал: «Яблочко от яблони недалеко падает».

В «Краткой биографии И. В. Сталина», которую он сам же и редактировал, о родителях говорится на первой странице: «Отец его — Виссарион Иванович, по национальности грузин, происходил из крестьян села Диди-Лило, Тифлисской губернии, по профессии сапожник, впоследствии рабочий обувной фабрики Адельханова в Тифлисе. Мать — Екатерина Георгиевна — из семьи крепостного крестьянина Геладзе села Гамбареули»[1].

В Грузии о происхождении Сталина ходили разные слухи. Люди не могли поверить, что от нищего сапожника, пьяницы Бесо, мог родиться такой великий человек. Поэтому его земляки, гадая о возможном отце такого человека, как Сталин, называли разные имена. Среди предполагаемых кандидатов на эту роль называли некоего купца-еврея по фамилии Написмедашвили, в доме которого убирала его мать, — отсюда разговор о полуеврейском происхождении Сталина, — а также Якова Эгнаташвили, крупного виноторговца княжеского рода, который платил за обучение Иосифа в семинарии.

Но наибольшее распространение и в Грузии, и за ее пределами получила легенда о происхождении Сталина от знаменитого географа и путешественника Н. М. Пржевальского.

Существует весьма обоснованное предположение, что эта версия была запущена в оборот по линии НКВД — МГБ в период, когда Сталин, превратившийся в абсолютного властителя, начал тяготиться своим грузинско-осетинским происхождением. Для самоутверждения Сталину было приятнее думать о таком знаменитом, пусть и неофициальном, отце, как Пржевальский, чем вспоминать вечно полупьяного сапожника Джугашвили.

---

[1] Цит. по: *Иосиф Виссарионович Сталин. Краткая биография/Сост.: Александров Г. Ф., Галактионов М. Р., Кружков В. С., Митин М. Б., Мочалов В. Д., Поспелов П. Н./2-е изд., испр. и доп.* — М.: Воениздат, 1947.

В основе этой версии лежат два обстоятельства: во-первых, факт пребывания в Гори в 1878—1879 годах Пржевальского, во-вторых, внешнее сходство Сталина, особенно в зрелом возрасте, с Пржевальским.

Эти факты сами по себе еще ни о чем не говорят и не могут служить доказательством происхождения Сталина от Пржевальского, но если их использовать систематически и целенаправленно, да еще с помощью такой могущественной организации, как НКВД, то результат не замедлит сказаться.

Обращает на себя внимание широкая кампания по популяризации имени и деятельности Пржевальского, которая была развернута в послевоенные годы и явно не соответствовала его реальной исторической роли. О нем снимается фильм, в те годы явление совершенно исключительное, так как ежегодно делалось лишь 15—20 фильмов, и все они проходили личную цензуру Сталина. Ему ставятся памятники, причем повсюду намеренно подчеркивается сходство со Сталиным, даже путем искажения реальных черт внешности Пржевальского.

В сталинские времена подобные вещи случайно не происходили. За всей этой кампанией прославления Пржевальского чувствуется опытная режиссерская рука. По почерку можно с достаточно высокой степенью вероятности предположить авторство во всем этом деле Л. Берии, который знал, что Сталин тяготится своим происхождением, и хотел сделать ему приятное. Зная о любви Сталина к мистификациям, нельзя исключить и предположение о том, что все это исходило от него самого. Самым странным в этой истории было то, что в годы, когда за малейшее высказывание о Сталине можно было угодить в тюрьму, легенда о его происхождении от Пржевальского распространялась открыто и беспрепятственно.

Но в любом случае все эти легенды о происхождении Сталина были лишь фрагментами десятилетиями создававшегося государственного мифа о величайшем вожде всех времен и народов, о живом боге, ведущем людей к светлому будущему.

Как вспоминал Н. Хрущев, ставший преемником Сталина: «После революции вопросу происхождения людей уделялось особое внимание. Если обнаруживалось, что человек вышел не из рабочей среды, то его рассматривали как второразрядного гражданина»[1]. У Сталина с этим вопросом все было в порядке — он был выходцем из бедной, полунищей рабочей семьи. Как пелось в пролетарском гимне, он был из тех, кто был ничем, а захотел стать всем. Но фокус-то заключался в том, что «всем» стал только он один — Сталин, а все остальные, как были ничем, так и остались в этом состоянии. С тем, однако, существенным дополнением, что Сталин превратил их в идейных рабов, уверовавших в то, что они-то и есть соль земли.

Мать Сталина — Екатерина Джугашвили прожила долгую жизнь и умерла в возрасте 77 лет 4 июня 1937 года в 23 часа 5 минут у себя на квартире в Тбилиси после тяжелой и продолжительной болезни. Она прожила жизнь нищей и одинокой. Такой и умерла.

Сталин стал вождем и хозяином страны при ее жизни. Она видела его триумф, но переехать к нему

---

[1] Цит. по: *А. Колесник.* Хроника жизни семьи Сталина. — М.: Метафора, 1990.

жить в Москву категорически отказалась. За все годы она лишь однажды поехала в Москву посмотреть, как живет семья ее единственного сына.

Сталин, бывая в Грузии по делам или на отдыхе, иногда, но не всегда, навещал ее. Иногда ее навещала и Надежда Аллилуева с детьми.

Время от времени она посылала нехитрые домашние посылки — варенье, фрукты и т. п. — в Москву и писала письма. Но ни близости, ни тесного общения с сыном и его семьей у нее не было. В начале тридцатых годов Сталин настоял, чтобы она переехала в Тбилиси, где ее поселили в бывшем генерал-губернаторском дворце. Но и там она жила скромно, занимая две маленькие комнатки. Больше ей было не нужно.

Жила одиноко, ни во что не вмешивалась. Естественно, под присмотром НКВД. Не сохранилось каких-либо свидетельств о том, чтобы она обращалась к сыну с какими-либо просьбами. А время было тяжелое — массовые репрессии обрушились и на Грузию. Зная обычаи грузин, трудно предположить, что к ней не обращались за помощью. Но она к сыну не обращалась, видимо, понимая бесполезность этих просьб и обращений. Характер своего сына она знала хорошо.

Когда она умерла, Сталин не посмел — или не захотел? — приехать в Грузию, чтобы проводить ее в последний путь. Был пик репрессий и он, зная обычаи своей родины, боялся кровной мести. Похоронили ее в пантеоне на горе Давида, где похоронены наиболее знатные и известные в грузинской истории люди. На могиле установлен скромный памятник.

Сталин так никогда и не был на могиле своей матери.

ПУНКТ 7

Социальное положение. Род занятий (профессия). Выполняемая работа и занимаемые должности с начала трудовой деятельности. Чем занимался до 1917 года? Работа по совместительству

Данный вопрос анкеты для Сталина был крайне неудобным и неприятным, поскольку никакой профессии он не имел и до революции практически не работал, если не считать кратковременного периода пребывания в должности наблюдателя-вычислителя Тифлисской Главной физической обсерватории (с декабря 1899 года по январь 1901 года). Он мог бы с полным основанием обозначить свой род дореволюционных занятий как «профессиональный революционер», «профессиональный террорист», «профессиональный боевик и подпольщик».

Характерно, что именно так: «профессиональный революционер и подпольщик», характеризовали род занятий и профессию отца дети Сталина Яков, Василий и Светлана, когда они заполняли свои анкеты по месту учебы или работы.

Но до революции самому Сталину заполнять анкеты не было необходимости, так как это делали за него жандармы и тюремное начальство, заполняя опросные листы задержанного, заключенного, ссыльнопоселенца. После революции, имея в виду то официальное положение, которое он занял в партии и государстве, писать ему об этом тоже было как-то несподручно.

Поэтому в анкетах, заполняемых им в качестве делегата партийных съездов, Сталин оставлял в этом пункте прочерк или указывал свою последнюю партийную должность. Лишь однажды, в 1920 году, в анкете Всеукраинской конференции компартии он напишет: «писатель (публицист)». Здесь он прямо подражает Ленину, Троцкому, Зиновьеву, Бухарину, которые считали себя партийными писателями-публицистами и много внимания уделяли своей литературной работе.

Сталин мог, конечно, так о себе написать, поскольку с марта 1917 года, после возвращения в Петроград из ссылки, он стал одним из соредакторов главной большевистской газеты «Правда», в этот период много писал и публиковался в партийных журналах и газетах. Из-под его пера в это время выходит множество статей и заметок на самые различные политические и внутрипартийные темы. Однако по мере утверждения в качестве единоличного вождя он публикуется в периодической печати все реже и реже, в основном в виде докладов на съездах, совещаниях и к памятным датам.

Свою писательскую энергию в этот период он сосредотачивает на написании книг типа «Вопросы ленинизма» или «Краткий курс истории ВКП(б)», которые становятся обязательными для изучения каждым советским гражданином, настольными книгами целых поколений советских людей.

В последней анкете, которую он заполнил лично в 1922 году, была указана его новая должность «Генеральный (обязательно с большой буквы) секретарь РКП(б)». Он стал первым генеральным секретарем Коммунистической партии и придал в дальнейшем этой должности мистический, жреческий характер. Когда говорили о высшем лице в государстве — вожде, лидере партии, государства и народа, выше которого лишь Бог, — имелся в виду генеральный секретарь компартии. Поскольку большевики отменили бога, его место в сознании миллионов людей и занял генсек.

Поначалу это была просто должность ответственного секретаря, руководителя технического аппарата ЦК компартии, отвечающего за работу технического персонала и организующего повседневную текущую работу этого партийного органа: переписка, почта, прием членов партии, подготовка проектов решений, распоряжений, указаний, ведение протоколов заседаний и совещаний, перепечатка и редактирование принятых решений и т. п. Ее занимали поочередно Стасова, Крестинский, Молотов, но именно Сталин постепенно, подчас незаметно для руководящей верхушки партии, превратил эту должность сначала в главный политический пост в партии, а затем, по мере сращивания партийного и государственного аппарата — в главную государственную должность в СССР.

С ростом значения должности генерального секретаря возрастало и значение Сталина, хотя, наверное, более точно было бы сказать так: с укреплением влияния и ростом авторитета Сталина в партии и стране возрастало и значение должности, которую он занимал в течение тридцати лет, с 3 апреля 1922 года по 16 октября 1952 года.

Перефразируя Маяковского, можно было бы сказать:

> *Мы говорим Генеральный секретарь,*
> *Подразумеваем — Сталин.*
> *Мы говорим Сталин,*
> *Подразумеваем — Генеральный секретарь.*

Название этой должности, созданной им, вошло в международный обиход наряду с такими словами, как «император», «царь», «президент», «шейх», «султан». Не нужно только забывать, что ни один носитель перечисленных званий в истории человечества не обладал столь всеобъемлющей властью над своими подданными, как генеральный секретарь компартии, когда им был Сталин. Ни один властитель, тиран, диктатор, деспот не уничтожил такого количества людей, прежде всего в своей собственной стране, как Сталин. Его без преувеличения можно назвать самым выдающимся в истории человечества душегубом. В этом отношении, как, впрочем, и во многих других, Сталин не имеет себе равных.

Заполняя анкету арестованного И. Джугашвили в 1907 году, один из жандармов записал в графе род занятий: «конторский работник», имея в виду, по-видимому, что церковное образование и грамотность арестованного позволили бы ему справиться с подобного рода работой, хотя Сталин никогда ни в одной конторе не служил.

Парадокс, но таким образом определив род занятий Сталина, жандарм попал в самую точку. Именно конторскую, аппаратную, письменную работу, а не живое общение с людьми Сталин любил больше всего. Совещания, заседания, руководящие указания, циркуляры, проекты постановлений и решений — вот истинный мир и истинная стихия Сталина.

Он смотрел на общество как на громадный механизм, в котором все должно быть смазано, отлажено, регламентировано, в котором каждому, подобно винтику в машине, определено его место, и только ему, Сталину, подвластно все — вплоть до жизни и смерти отдельных людей или народов. Достаточно вспомнить, что для него, например, переселение целых народов из Крыма и Кавказа в Сибирь и Казахстан в виде наказания за их «сотрудничество с немцами во время войны» было не нравственной и даже не политической, а чисто организационной и транспортной проблемой.

По характеристике Ленина, «увлекающийся чисто административной стороной дела», он неустанно трудился над созданием собственной империи. Бюрократизм, догматизм, схематизм, прямолинейность, авторитарность — эти черты сталинского характера стали одновременно и чертами созданной им системы.

Примитивно механистические представления об обществе постоянно возникают в работах Сталина. Они переполнены «машинными» определениями: государство есть машина подавления; хозяйственный механизм, работающий как часы; политический механизм с приводными ремнями и т. п. Кое-что в этих определениях заимствовано им у Ленина, но теория «приводных ремней, соединяющих партию с народом», несомненно, принадлежит самому Сталину.

Она была обнародована им на XII съезде компартии в 1923 году, а потом неоднократно воспроизводилась и вошла в «сокровищницу» сталинских мыслей. Первый ремень — профсоюзы, второй — кооперация, третий — союзы молодежи и прочее (женское движение, армия, школа, печать). Потом эти «ремни» будут меняться местами, например печать встанет перед женским движением и т. д.

Однако при всем примитивизме и схематизме такого подхода к обществу он был чрезвычайно удобен для внедрения единомыслия и поисков отступников.

Достаточно было забыть про какой-нибудь из «приводных ремней» или перепутать их местами, чтобы попасть в число двурушников, отступников от генеральной линии партии, а в худшем случае и в число «врагов народа». К тому же эти построения были просты и доступны для понимания широкой массы малообразованных или просто неграмотных людей.

Вся история восхождения и пребывания Сталина во власти — это непрерывный процесс централизации власти, сосредоточения ее в одних руках. Сталин постепенно и целенаправленно замкнул на себя решение всех, даже третьестепенных вопросов. Если судить по воспоминаниям и свидетельствам очевидцев, может даже сложиться впечатление, что он только такими — конкретными, но далеко не первостепенными с точки зрения государственной важности — вопросами и занимался.

Так, он постоянно лично участвует в решении вопросов о выпуске на экран того или иного фильма, об опубликовании конкретного романа или повести, разрешении к постановке или снятии с репертуара того или иного спектакля. Вождь лично решает вопросы о повышении ставок авторского гонорара, о сроках ввода в действие цехов строящегося предприятия, не говоря уже о таких проблемах, как участие в написании текста нового гимна, конкурсного отбора музыки для гимна, определение новой формы одежды для армии, работников прокуратуры или МИДа и т. д. и т. п.

Сталин поначалу слабо разбирался в общих политических и экономических вопросах, поэтому на заседаниях Политбюро и различных совещаниях он придерживался тактики «последнего выступающего», который как бы подводит итог тому, что говорилось, а затем высказывается за один из предложенных вариантов решения. В годы борьбы за власть, когда он еще не был первым лицом, Сталин обычно придерживался компромиссной позиции или позиции большинства, что иногда — например, по вопросу об «автономизации» республик, то есть о создании СССР или вхождении других республик в РСФСР и др., — приводило его к разногласиям с Лениным. Но когда положение изменилось и он превратился в главное решающее лицо, все заседания с его участием происходили по следующей схеме: кто-то докладывал вопрос, затем Сталин задавал уточняющие вопросы по теме, затем высказывались члены Политбюро и другие участники совещания.

После этого Сталин формулировал решение в категорической форме, и оно единогласно принималось. Дальнейшему обсуждению данный вопрос не подвергался, даже если решение, предложенное Сталиным, было очевидно ошибочным. Его соратники знали, что он органически неспособен признавать свои ошибки и изменять принятое им решение.

До конца жизни сохранилось у него обыкновение отдавать предпочтение частным, конкретным вопросам перед общими, в которых он чувствовал себя слабее. Решая конкретные вопросы, он мог демонстрировать самому себе и окружающим свое умение быстро разобраться в сути дела, вычленить главное и принять решение.

Процесс централизации власти особенно быстро происходил в годы войны. Оправившись после первоначальной растерянности и шока, вызванных нападением Германии и первыми военными поражениями, Сталин сосредоточил в своих руках все рычаги управления страной, военными действиями, переговорами с союзниками, мобилизации тыла и т. д. Чтобы представить себе степень концентрации власти в руках Сталина в этот период, достаточно перечислить должности, занимаемые им тогда.

1. Генеральный секретарь компартии.

2. Председатель правительства — Совета Народных Комиссаров.

3. Председатель ГКО — Государственного Комитета Обороны.

4. Верховный Главнокомандующий и руководитель Ставки Верховного Главнокомандующего.

5. Нарком обороны.

Каждая из этих должностей в тот период требовала полной самоотдачи и высочайшей ответственности. Сталин справился с выпавшими на его долю нагрузками во время войны. Более того, не будет преувеличением сказать, что период войны был наиболее успешным во всей его деятельности. Война была выиграна не в последнюю очередь благодаря его воле, решительности и даже жестокости. Другое дело, что он сам несет значительную, если не большую долю ответственности за все случившееся, за то, что эта война стало возможной и даже неизбежной.

Нечеловеческое напряжение военных лет не прошло для Сталина даром — после войны он начал быстро дряхлеть.

Сказывался и возраст, дело шло к семидесяти. В 1946 году он переживает сильнейший гипертонический криз. Силы иссякали, но все нити управления страной были еще замкнуты на нем. Он уже явно не справлялся с непосильной ношей и все чаще заводил разговор об отставке.

По воспоминаниям адмирала Н. Г. Кузнецова, бывшего тогда наркомфлота, впервые Сталин заговорил публично о возможной отставке сразу после Парада Победы, состоявшегося 24 июня 1945 г. Разговор этот происходил в узком кругу членов Политбюро и военной верхушки — тех, кто стоял во время Парада Победы на трибуне Мавзолея Ленина. Разговор, правда, носил гипотетический характер, в плане пожелания[1]. Но окружение вождя, боясь, что это очередная про-

---

[1] По материалам книги: *Кузнецов Н. Г.* «Крутые повороты: из записок адмирала». — М.: Мол. гвардия, 1995.

верка, конечно же, поспешило заверить Сталина, что без него нельзя представить себе будущее страны, что он не имеет права уходить и т. п. А Сталин, скорее всего, искренне говорил о возможном уходе — он смертельно устал от войны, от интриг, от забот, от возраста, от поклонения.

Но и дряхлея, он не терял хватки. Какой-то инстинкт держал его постоянно начеку, позволяя разгадывать, скорее предугадывать и предупреждать, интриги, как действительные, так и мнимые. Он был особенно опасен именно тогда, когда другие начинали думать, что сумели обойти его, сумели провести его, сумели взять его в кольцо. Никому в течение его жизни не удавалось безнаказанно провести Вождя. Это сумел сделать лишь Берия, да и то на самом закате жизни Сталина, когда он буквально в последнюю минуту опередил постаревшего Отца народов, убрав его прежде, чем тот сделал бы это с ним. Однако и в этом случае возмездие наступило спустя несколько месяцев.

Атмосферу, в которой жили Сталин и его окружение в послевоенные годы, очень точно описал упоминавшийся уже Милован Джилас: «Мир, в котором жили советские вожди — а это был и мой мир, — постепенно начинал представать передо мной в новом свете: ужасная, непрекращающаяся борьба на всех направлениях. Все обнажалось и концентрировалось на сведении личных счетов. В живых оставался только более сильный и ловкий. И меня, исполненного восхищением к советским вождям, охватывало теперь головокружительное изумление при виде воли и бдительности, не покидавших их ни на мгновение»[1].

Необходимость ежедневно кривить душой в мыслях и поступках, жить в постоянной паутине лжи, а также животный, не отпускающий ни на минуту страх за свою жизнь превратили сталинское окружение в абсолютно ничтожных и одновременно страшных людей, которые были лишены морали и совести, которые были способны на любую подлость и преступление. Сталину казалось, что он уже не нуждается ни в ком из них и расстаться с ними, избавиться от них не было для него большой проблемой.

Среди них был лишь один человек — Берия, услуги которого он ценил высоко. Тот, который сумел сделаться ему необходимым, его верным Малютой Скуратовым — безукоризненным исполнителем его самых страшных замыслов и преступлений. Он дольше всех других — Менжинского, Ягоды, Ежова, Меркулова — продержался в должности главы тайной полиции, опутавшей густой сетью своих сексотов и осведомителей-доносчиков всю страну. Именно в руках Берии находился механизм устранения неугодных вождю людей, что делало его власть всеобъемлющей, уступающей лишь власти самого хозяина.

Но однажды Сталин, подозрительность которого была общеизвестна и с возрастом лишь увеличивалась, не мог не задуматься над тем, что Берия когда-нибудь может использовать этот механизм и для устранения его самого. Так в конце концов и произошло. Поэтому он исподволь начал готовить почву

---

[1] Цит. по: *Милован Джилас. Лицо тоталитаризма.* — М.: Новости, 1992.

для устранения большого мингрела, как он иногда называл Берию. Свидетельство тому — известное мингрельское дело, по которому на плаху и в лагеря пошли многие выдвиженцы и друзья Берии в конце 1951-го — начале 1952 года.

Дело врачей также имело прямой выход на Берию, так как содержало обвинение руководства органов госбезопасности в утрате бдительности, излишней доверчивости к врагам, а по сути, в пособничестве тем, кто замышлял обезглавить советское руководство во главе с самим Сталиным. Многие из обвинений против Берии, подготовленных еще при Сталине, были затем использованы Хрущевым со товарищи, когда в июне 1953 года они расправились с Берией как с английским, американским и израильским шпионом.

В своих воспоминаниях Н. Хрущев писал о том, что в последние годы жизни Сталин уже ничего не мог делать и ничем не занимался. Если это и преувеличение, то небольшое. Возраст брал свое, и вождь был уже не в состоянии ни умственно, ни физически осуществлять власть так, как он делал это в былые годы.

Все большую часть нагрузки он перекладывал на других. При этом мысль о возможности действительной децентрализации власти даже не могла прийти ему в голову. Сталин все чаще уединялся на даче, не появлялся в своем кремлевском кабинете неделями, а с 17 февраля 1953 года и до дня смерти (5 марта) он вообще никуда с дачи не выезжал. Видимо, только этим состоянием Сталина и может быть объяснено его согласие на ликвидацию поста Генерального секретаря, который он занимал более тридцати лет, после XIX съезда КПСС в октябре 1953 года. Хоронили его в качестве «председателя Совета Министров СССР, секретаря Коммунистической партии Советского Союза». Это были его последние официальные должности. Фактически же до самой смерти он оставался Вождем всех народов, Отцом нации, Корифеем всех наук, Величайшим кормчим и учителем и т. д. и т. п., то есть настоящим Хозяином империи, созданной им.

ПУНКТ 8

Образование.
Знание иностранных языков и языков народностей СССР.
Ученая степень (звание).
Научные труды

Систематическое образование Иосифа Джугашвили носило исключительно духовный характер. Почти до двадцатилетнего возраста он изучал богословские тексты, усердно молился, пел в церковном хоре, готовился стать священником. В девять лет он поступил в Горийское духовное училище, в котором проучился шесть лет и окончил его в 1894 году «по первому разряду», т. е. с отличием. В том же году по настоянию матери он поступил в Тифлисскую духовную семинарию, в которой проучился до 29 мая 1899 года.

Из семинарии, не завершив обучения, был исключен. Согласно версии, изложенной в его официальной «Краткой биографии», за пропаганду марксизма, а по документам, сохранившимся в архивах семинарии, — по причине неявки на экзамен. Действительной же причиной, конечно, было то, что он разуверился в Боге и примкнул к революционному движению, а Бог оставил его.

Десять лет духовного образования не могли не сказаться на его характере и мировоззрении. В Тифлисской семинарии преподавали не только религиозные, но и светские дисциплины: русскую словесность, историю русской литературы, всеобщую гражданскую историю, русскую гражданскую историю, а также алгебру, геометрию, физику, логику, психологию, греческий (древнегреческий) язык и латынь.

Первые два года в семинарии Джугашвили учится очень хорошо — по первому разряду, имея отличные оценки по всем предметам, кроме латыни («4») и греческому («3»). Языки давались ему плохо. Любимый предмет — логика.

Но вскоре учеба перестала интересовать его, и он погрузился в изучение марксистской литературы, примкнул к деятельности подпольных социал-демократических кружков.

Все, кто сталкивался со Сталиным как в юности, так и в зрелые годы, отмечают его поразительную память. В семинарии он пристрастился к чтению книг, в том числе запрещенных для чтения семинаристам. Читал много, и любовь к чтению сохранилась на всю жизнь.

Любимыми его писателями были Чехов, Гоголь, Салтыков-Щедрин. Из грузинских — Александр Казбеги, Шота Руставели. Эстетические вкусы Сталина как в молодости, так и в зрелые годы были вполне традиционалистскими. В литературе он предпочитал русскую и европейскую классику XIX века, в живописи — передвижников с их социальной тематикой, в музыке — классические оперы и балеты. Вождь больше всего любил Чайковского, «Лебединое озеро» в Большом театре смотрел десятки раз. В театре Сталин выбирал пьесы Островского, Чехова, Булгакова, особенно «Дни Турбиных» во МХАТе, который тоже смотрел множество раз. К новым веяниям в искусстве был маловосприимчив. Новаторские течения — авангард, модернизм, Серебряный век, Мейерхольда, Ахматову, Таирова и др. — отвергал, обвиняя в формализме или буржуазном упадничестве.

Политические ссыльные в царское время имели возможность получать и регулярно читать практически все литературные и общественно-политические журналы. Сталин не исключение. Приобретенная в ссылках привычка к регулярному чтению журналов сохранилась у него и в зрелые годы. Уже будучи генсеком, он не раз поражал писателей и главных редакторов журналов своей осведомленностью об опубликованных в них материалах. Сохранилось много журналов из его библиотеки с собственноручными пометками вождя.

Уже на седьмом десятке он говорил, что читает не менее 500 страниц в день. Если это и преувеличение, то небольшое, так как работал он помногу, и через его руки ежедневно проходили сотни бумаг и документов. К тому же сохранившиеся свидетельства говорят о том, что Сталин лично читал практически все сколько-нибудь заметные литературные произведения, публиковавшиеся при нем в Советском Союзе. Нередко присуждение Сталинской премии тому или иному произведению происходило по его инициативе.

Благодаря постоянному чтению и самообразованию Сталин в конце концов приобрел обширные познания. Но по-настоящему образованным человеком, т. е. способным прежде всего считаться с мнением и знаниями других, он так и не стал. Более того, образованные и интеллигентные люди всегда вызывали у него недоверие, подозрение и раздражение.

Как иногда случается с талантливыми, однако не получившими глубокого систематического образования людьми, высшим авторитетом по любому вопросу, за который брался, он считал самого себя. В этой особенности его натуры — источник многих бед, постигших впоследствии страну. Достаточно вспомнить его неустанную борьбу за чистоту марксизма-ленинизма и генеральной линии партии. А чего стоит, например, такой пассаж, как написание и опубликование им, человеком, не имевшим никакого филологического образования, работы «Марксизм и вопросы языкознания», которую затем в обязательном порядке заставили изучать всю страну.

По меткому замечанию А. Солженицына, «никто, кроме него, не должен был ничего знать, уметь и делать безупречно! Как царь Мидас своим прикосновением обращал все в золото, так Сталин своим прикосновением обращал все в посредственность»[1]. Религиозное воспитание и образование способствовали формированию у него догматического мировоззрения, иначе говоря, внутренней потребности в неких незыблемых нормах и принципах, которые не должны подвергаться сомнению.

Поэтому, когда он разуверился в Боге и увлекся марксизмом, для него это была перемена рели-

---

[1] Цит. по: *А. Солженицын*. В круге первом.

гии. В марксизме он обрел новую веру и всей своей последующей деятельностью максимально содействовал превращению марксизма-ленинизма в набор не подлежащих сомнению догм и постулатов, малейшее отступление от которых было возведено в ранг государственного преступления. Борьба за «чистоту» марксизма, которую он неустанно вел всю свою жизнь, сродни инквизиции. Сталин и был первым фундаменталистом от марксизма, Великим инквизитором марксистского вероучения, ставшего при нем государственной религией.

При всей прагматичности и материалистичности новой веры, ей был свойствен и оттенок мессианства — мессианская роль рабочего класса, диктатуры пролетариата для создания земного рая, то есть коммунизма. Явно религиозный оттенок приобрел также культ личности Сталина, того человека, которому должна поклоняться вся страна, а в перспективе — и все человечество.

Монолог И. Сталина из книги Нодара Джина «Учитель»:

А во мне ничего загадочного нет. Ничего проще меня не бывает. Ибо все на свете я познал как нельзя просто — на собственной шкуре. Как познает народ.

Все другие изучали мир в гимназиях и заграницах. На папины деньги. И по воображению. Те же Маркс с Энгельсом. Те же Ильич с Троцким. Те же зиновьевы, каменевы, бухарины, радеки, луначарские, чичерины.

Все они ушли в революцию из воображения. Спустились в нее.

Мне же воображения не надо. Мой дед умер крепостным. А учу я народ не мудрости, а тому, чем обделили меня, — справедливости.

И поэтому за мной идут не только те, кто способен мыслить. Идет народ. Ибо никогда раньше никто не предлагал справедливости большинству.

В образовании Сталина было немало пробелов. Он не знал, например, иностранных языков и, судя по сохранившимся воспоминаниям и документам, никогда всерьез не пытался их изучать. Лишь однажды в туруханской ссылке в 1914 году он увлекся изучением эсперанто, но вскоре бросил это занятие, так и не овладев навыками этого специфического языка. Там же пытался изучать и немецкий язык, но тоже безуспешно. Как отмечал в своих воспоминаниях Троцкий, «без должного теоретического кругозора, без знания иностранных языков, Сталин был неотделим от русской почвы».

Естественно, что Сталин владел грузинским, но с момента, когда он вошел в состав руководящих органов РСДРП(б), предпочитал говорить по-русски. В последующие годы грузинским языком пользовался только в разговорах с Орджоникидзе, Енукидзе, Берией и другими грузинами из его московского окружения. Сохранившиеся письма и записки, которые он писал матери и друзьям юности в Грузию, написаны на русском, а не на грузинском. Грузинских автографов периода, когда Сталин стал государственным деятелем, не сохранилось.

На грузинском были написаны его юношеские стихи и статьи, которые он публиковал в грузинских газетах в ранний период своей революционной деятельности.

Начиная с тридцатых годов Сталин не любит напоминаний о своем грузинском происхождении. По-видимому, это отразилось и на его отношении к грузинскому языку.

По-русски Сталин говорил медленно и с заметным кавказским акцентом. Писал по-русски грамотно, не в пример другим генсекам, таким как Хрущев, Брежнев или Черненко, которые отличались своей безграмотностью. За почти десятилетний период обучения в церковном училище и в семинарии Сталин, конечно, должен был выучить и церковнославянский язык, но ни в выступлениях, ни в своих работах он почти никогда не прибегал к церковнославянским выражениям и оборотам.

Лишь однажды, в своем первом выступлении по радио после нападения фашистской Германии на Советский Союз, 3 июля 1941 года Сталин обратился к слушателям — а его слушала, затаив дыхание, без преувеличения вся страна — с необычным для коммуниста обращением: «Дорогие братья и сестры! К вам обращаюсь я, друзья мои!» Подобное обращение было явно позаимствовано им из церковного обихода. Именно так нередко обращаются православные священники к своей пастве.

Все современники отмечали необычайно сильное воздействие на слушателей именно этих слов, а не общепринятого, официально-безличного: «Товарищи!» — которым обычно начинались все речи коммунистических руководителей.

Как уже отмечалось, оратором он был никудышным, особенно проигрывая на фоне красноречивых большевистских вождей того времени. Сталин знал за собой эту слабость и поэтому не любил публично выступать. Даже на партийных съездах, где это делать было необходимо, выступал крайне неохотно и редко.

Однако со временем он выработал свой собственный стиль выступлений, оказывавший сильное воздействие на публику.

После достижения абсолютной власти, с начала тридцатых годов, Сталин публично выступает все реже и реже, становясь в глазах населения безмолвным божеством, хотя на самом деле ему просто нечего было сказать своему стаду, которое он предпочитал «кормить» не речами и обещаниями, а формулами и постулатами из «Краткого курса» и «Вопросов ленинизма». Их полагалось заучивать наизусть.

Последнее его большое публичное выступление состоялось на XIX съезде КПСС в октябре 1952 года.

Указанная особенность Сталина создавала немало проблем партийным идеологам и агитаторам, которые должны были «нести в массы гениальные идеи и руководящие указания» величайшего вождя всех народов, поскольку его выступление были крайне редки и немногословны. По аналогичным причинам Сталин не любил и не держал в своем окружении людей, умевших красноречиво и ярко излагать свои мысли.

Если при Ленине руководители большевиков на съездах, совещаниях, митингах и т. д. выступали обычно без написанного текста, имея в руках лишь план или краткие тезисы выступления, то при Сталине утвердился канцелярско-бюрократический, суконный и стандартный язык публичных выступлений по бумажке, с обязательным предварительным согласованием текста речи с соответствующими партийными инстанциями. Следующим шагом в этом направлении стало предварительное определение партийными органами списка выступающих на любом совещании, конференции или съезде с подготовкой соответствующих текстов выступлений в недрах партийного аппарата.

Обусловлено это было как соображениями контроля за мыслями и речами подданных, чтобы не сказали чего лишнего, так и стремлением подогнать все публичные выступления под один образец в виде речей великого кормчего, корифея и вождя. Как это ни выглядит парадоксально, но недостаточная образованность, культурность и неумение публично выступать числились в сталинское время важными условиями успешной карьеры.

Сталин терпеть не мог, когда кто-то что-то делал лучше, чем он сам. В своих глазах он был непогрешимым и недостижимым образцом во всем и для всех. Такова логика любой диктатуры, вспомним, например, сколько сенаторов, ораторов, поэтов, актеров лишились жизни во времена Нерона только за то, что посмели недостаточно восторженно отозваться о его стихах, актерском мастерстве или публичных выступлениях.

Во времена Сталина также репрессировали за малейшее неуважительное высказывание о вожде. Например, за рассказанный о вожде анекдот или использование газеты с его фотографией в качестве туалетной бумаги, что происходило довольно часто, так как в сталинские времена такая «роскошь», как туалетная бумага, в Советском Союзе не производилась и не продавалась.

Политические деятели, ученые, писатели, журналисты могли пострадать также за то, что в их трудах, книгах, статьях, независимо от профиля и содержания, было недостаточно ссылок на работы и высказывания «корифея всех наук». Даже в естествознании и технике в те времена принято было любую статью или книгу начинать словами: «Как учит великий Сталин...» — а потом уже переходить к сути дела.

К концу жизни, похоже, и сам Сталин окончательно уверовал в свою «корифейность», неожиданно для окружающих начал публиковать работы по языкознанию, политической экономии и другим наукам. Обычных ученых степеней и званий он не имел. Вождь не мог делать то, что положено его подданным: защищать диссертации, получать ученые звания. Он сразу стал «корифеем всех наук» — это и стало его научным званием, как генералиссимус — воинским.

Сталин — в качестве автора или редактора — опубликовал множество книг и статей: «Вопросы ленинизма», «Краткий курс истории ВКП(б)», «Марксизм и национальный вопрос», «Марксизм и вопросы языкознания», «Экономические проблемы социализма в СССР» и т. д. Они составили целое собрание его сочинений, которое начало публиковаться при жизни Сталина и было остановлено на XIII томе после его смерти.

«Справедливости ради нельзя не отметить, — пишет Д. Волкогонов, — что над своими статьями, речами, репликами, ответами генсек трудился сам. Свидетельства его помощников, в разное время работавших с ним, других ответственных лиц из аппарата Генерального секретаря дают основание сделать вывод: при огромной загруженности Сталин весьма много работал над собой. Ему ежедневно по его специальным заказам делали подборку литературы, вырезки из статей, сводки по материалам местной партийной печати, обзоры зарубежных изданий, наиболее интересные письма»[1].

Как относиться к сталинским работам сегодня, спустя почти полвека после его смерти? Можно ли рассматривать его как крупного теоретика или мыслителя, внесшего свой вклад в развитие хотя бы того же марксистско-ленинского учения, не говоря уже о вкладе в настоящую науку? Выдержали ли написанные им труды испытание временем? Ответ очевиден, его дала жизнь самим фактом крушения созданной им системы «социализма».

Отвлеченным мыслителем, теоретиком Сталин, увы, не был. Известно, что его попытка овладеть основами философских знаний закончилась безуспешно. Несколько месяцев он брал уроки по диалектике у известного в то время советского философа профессора Я. Стэна. Дважды в неделю Стэн добросовестно учил своего высокопоставленного слушателя по специальной программе, излагая ему философские концепции и стараясь до предела упрощать

---

[1] Цит. по: *Волкогонов Д. А.* Указ. соч.

философские премудрости, которые так и остались недоступными для понимания Сталина. Абстрактность философских понятий раздражала Сталина, и он постоянно спрашивал у своего учителя: «Какое все это имеет значение для классовой борьбы? Кто использует всю эту чепуху на практике?»[1]

Вскоре эти занятия прекратились по инициативе Сталина, но он так и не простил своему учителю собственную ограниченность и неспособность усвоить философские истины. В 1937 году профессор Я. Стэн был объявлен теоретическим прислужником троцкизма и расстрелян.

Примитивно-утилитарный подход к философии и соответствующий уровень философских воззрений Сталина лучше всего был отражен в печально знаменитой IV главе «Краткого курса истории ВКП(б)», в которой, по меткому замечанию Д. Волкогонова, он разделил философию на несколько основных черт, как солдат в шеренге. Здесь наиболее наглядно проявились догматизм и схематичность сталинского интеллекта, сохранившаяся еще с семинарских времен страсть к определениям, дефинициям и классификациям.

Его статьи, доклады, выступления всегда укладываются в прокрустово ложе перечисления и выделения особенностей, черт, периодов, задач, целей и т. п. Три особенности Красной Армии, шесть приводных ремней социализма, четыре этапа развития оппозиции — и так по любому вопросу. Все подгонялось к определенной схеме и формулировалось в виде не подлежащих критике, обсуждению и пересмотру

---

[1] Цит. по: *Волкогонов Д. А.* Указ. соч.

догм и принципов. Все остальные могли лишь комментировать, разъяснять, прославлять, развивать, популяризировать и т. д. В точности по рецепту одного из посланий апостола Павла к коринфянам. На вопрос о том, могут ли быть разночтения и разные толкования высказываний Христа, апостол Павел отвечает: «Да, могут, дабы выявить среди вас искусных в толковании слова Божьего».

Сталинский подход к решению спорных философских проблем ярко проявился в его выступлении в Институте красной профессуры, состоявшемся в 1930 году. Тогда он следующим образом наставлял будущих «красных профессоров»: «Надо разворотить и перекопать весь навоз, который накопился в философии и естествознании. Все, что написано деборинской группой, — разбить... Бить — главная проблема. Бить по всем направлениям и там, где не били!»[1] Сталин знал, что говорил. Умением бить, разбить, добить — даже не врага, а просто несогласного с ним — он владел в совершенстве. Его аргументы в споре всегда звучали как неопровержимые утверждения, как аксиомы, а выводы — как приговор. Практически все, кто когда-либо осмелился спорить с ним, оспаривать его суждения, были рано или поздно репрессированы. Такая вот наука!

Научная ценность его трудов невелика. Достаточно вспомнить перечень того, что рассматривается в его работах в качестве вклада в развитие марксизма-ленинизма: учение о возможности построения социализма в одной отдельно взятой стране, об усилении классовой борьбы по мере строительства социализма,

---

[1] Цит. по: *Волкогонов Д. А.* Указ. соч.

об укреплении и усилении социалистического государства в процессе его отмирания, о необходимости ликвидации кулачества как класса, о репрессиях и насилии как необходимых инструментах построения нового общества, об индустриализации и коллективизации как основах построения социализма в СССР и т. п.

Нетрудно заметить, что все без исключения его «научные» построения, постулаты и положения носят сиюминутный политический характер, рассчитаны на решение конкретных политических и экономических проблем страны. К тому же время обнажило полную несостоятельность и антигуманную сущность всех этих теоретических изысканий «корифея всех наук».

Но если говорить о его действительном вкладе в развитие теории социализма, то он существует, хотя сам Сталин, его последователи и комментаторы предпочитали о нем умалчивать. Этот вклад чисто практический. Сталин создал особую разновидность бюрократического, номенклатурного социализма с так называемой административно-командной системой экономики, которая оказалась настолько живучей, что спустя почти пятьдесят лет после его смерти плавно преобразовалась в режим номенклатурной демократии, утвердившийся в современной России.

Размышляя о Сталине как теоретике, нельзя не упомянуть об одной весьма важной особенности всех написанных им работ — они представляют собой, как подчеркивает сам автор, развитие, разъяснение и защиту ленинизма, ленинских идей и положений. «Вопросы ленинизма», «Об основах ленинизма», «О

Ленине и ленинизме» — вот лишь некоторые названия книг, опубликованных им в двадцатые-тридцатые годы. После смерти Ленина Сталин присваивает себе положение единственного толкователя, защитника и популяризатора ленинского наследия. Защитник и продолжатель ленинского дела, хранитель единства партии — этим Сталин укрепил свое положение и поднял свой авторитет в партии, развязав непримиримую борьбу с внутрипартийными оппозициями. С антиленинским намордником в руках, по выражению известного партийного оппозиционера М. Рютина, Сталин сумел переиграть в борьбе за власть сначала Троцкого, затем Зиновьева и Каменева, а потом и всех остальных. Проигравших ожидала смерть.

А победитель продолжал укреплять свою единоличную власть с ленинскими цитатами на устах и с ленинскими работами в руках. В это же самое время Крупская говорила, что «если бы Володя (Ленин. — *А. С.*) прожил еще десять лет, то сейчас он наверняка был бы в тюрьме». Такова логика диктатуры, а называется ли она при этом диктатурой пролетариата, что составляет основу ленинского учения, существа дела не меняет.

Перечень основных трудов И. В. Сталина:

1. Марксизм и национальный вопрос. 1913 г.

2. Об основах ленинизма. 1924 г.

3. Троцкизм или ленинизм. 1924 г.

4. К вопросам ленинизма. 1926 г.

5. Еще раз о социал-демократическом уклоне в нашей партии. 1926 г.

6. О правом уклоне в ВКП(б). 1929 г.

7. К вопросам аграрной политики в СССР. 1929 г.

8. Вопросы ленинизма. Одиннадцать изданий с 1928 по 1952 г.

9. Сочинения, т. 1—13. М. 1949—1951 гг.

10. О Великой Отечественной войне Советского Союза. М. 1946 г. (пять изданий с 1946 по 1950 г.)

11. Марксизм и вопросы языкознания. 1950 г.

12. Экономические проблемы социализма в СССР. 1952 г.

ПУНКТ 9

Партийность

Время, с которого Сталин стал членом Российской социал-демократической рабочей партии, которая позднее стала называться Коммунистической, если верить таким источникам, как «Краткая биография И. В. Сталина» и работа Л. Берии «К вопросам об истории большевистских организаций в Закавказье», восходит к 1898—1900 годам, когда Сталин якобы возглавил Тифлисскую центральную социал-демократическую группу. Иначе говоря, пребывание Сталина в партии относится к самому начальному моменту возникновения социал-демократического движения в России.

Но в том-то и дело, что доверять этим источникам нельзя. Это были годы, когда девятнадцатилетний семинарист Джугашвили только-только начал знакомиться с марксизмом и просто не мог быть руководителем Тифлисской организации социал-демократов, как и не был тогда еще Сталиным. По официальным источникам, с самого начала своей революционной деятельности Сталин примкнул к большевистскому крылу социал-демократической партии. Проверить это сегодня практически невозможно — всех свидетелей его партийной и революционной деятельности тех лет Сталин своевременно ликвидировал. Достоверно известно лишь, что Иосиф Джугашвили (Коба) вошел в состав Тифлисского комитета РСДРП в ноябре 1901 года.

На общероссийской арене социал-демократического движения его имя впервые появляется в 1905 году, когда он принимает участие как делегат от закавказских большевиков в работе первой Всероссийской конференции большевиков в городе Таммерфорсе (Финляндия). Именно там и состоялась его первая встреча с Лениным, определившая его дальнейшую судьбу.

Затем он участвует в работе IV съезда РСДРП (Стокгольм, апрель 1906 г.), а в апреле-мае 1907 года — V съезда в Лондоне, который окончательно закрепил раскол партии на большевиков и меньшевиков. Молчаливый, угрюмый, с негромкой и медленной речью, с сильным кавказским акцентом, он малозаметен на этих съездах, но постоянная готовность поддержать Ленина и нескрываемое восхищение и преклонение перед ним не остались незамеченными последним.

В 1912 году И. Джугашвили становится членом ЦК РСДРП. В «Краткой биографии» утверждается, что он «заочно был избран в члены ЦК партии» на Пражской конференции в январе 1912 года. На самом же деле конференция его никуда не избирала, и вообще в материалах этой конференции не было никаких упоминаний о нем. Он был введен в состав ЦК (кооптирован — по тогдашнему выражению) уже после конференции по инициативе и настоянию Ленина. Возникает вопрос: за какие заслуги?

В период после поражения революции 1905 года и до момента вхождения в состав ЦК большевистской партии Коба (основная партийная кличка Сталина в эти годы) стал боевиком, добывающим деньги для партии. На его счету организация знаменитого ограбления среди белого дня двух экипажей, перевозивших крупную сумму денег для государственного банка на Эриванской площади в Тифлисе 26 июня 1907 года, которое принесло в партийную кассу около 300 тысяч рублей, участие в многочисленных кровавых эксах — террористических актах по экспроприации буржуазной собственности. Это и было той партийной «работой», за успешное выполнение которой Ленин кооптировал Кобу-Джугашвили в состав ЦК своей партии.

Много позже, в начале 1918 года, один из лидеров меньшевиков Л. Мартов в одной из статей в газете «Вперед» обвинит Сталина в участии в эксах и напомнит, что в свое время он был исключен из партийной организации «за прикосновенность к экспроприациям». Сталин обратился в Революционный трибунал по делам печати с требованием привлечь Мартова к ответственности за клевету. Тогда Мартов потребовал вызвать свидетелей, и трибунал удовлетворил его просьбу. Но свидетелей так и не допросили, так как вскоре Совнарком своим декретом упразднил трибунал по делам печати. Дело перешло в Революционный трибунал Москвы, в котором председательствовал Н. Крыленко. Рассмотрев дело без вызова свидетелей, ревтрибунал вынес общественное порицание Мартову. Газету «Вперед» вскоре закрыли, Мартова выслали за границу, партию меньшевиков и все другие партии запретили, а свидетели, названные Мартовым, все без исключения погибли в годы сталинского террора. Уже одно это дает основания полагать, что Л. Мартов был прав и Сталина действительно в свое время исключали из партии. Поэтому формально он мог и не быть в 1917 году членом ЦК РСДРП.

Дальнейшее развитие партийной карьеры Сталина происходит уже после Февральской революции, когда он в марте 1917 года возвращается в Петроград из туруханской ссылки. Здесь он до приезда Ленина и в отсутствие других членов ЦК начинает играть заметную роль в руководстве партией и, в частности, становится соредактором главной большевистской газеты «Правда». В этот же период Сталина направляют от большевиков в состав ЦИКа (Центрального Исполнительного Комитета) Советов рабочих и солдатских депутатов, а затем, в июне 1917 года, на I Всероссийском съезде советов он был избран членом ЦИКа.

На VII Всероссийской (апрельской) конференции РСДРП(б) Сталина впервые избирают в члены ЦК партии. До этого, с 1912 года, он был лишь кооптирован без избрания. Он входит в состав политического бюро ЦК, а также во множество разнообразных комитетов и комиссий, возникавших в это бурное время как грибы после дождя.

Но во всех этих органах и комитетах Сталин молчалив, мало инициативен и почти не заметен. Нельзя не согласиться с Д. Волкогоновым, когда он пишет, что в историю революции Сталин вошел «не как выдающаяся личность, властитель дум, пламенный трибун и организатор, а как малозаметный функционер партийного аппарата», хороший исполнитель, но начисто лишенный способности к революционному творчеству[1].

В подготовке и проведении Октябрьского вооруженного восстания ключевую роль сыграл не он, а другие: Троцкий, Ленин, Свердлов, Дзержинский, Подвойский, Бухарин, Бубнов, Ломов, Рыков, Антонов-Овсеенко, Крыленко, Ногин и др.

Ни одна идея или крупная акция, ни один лозунг или политическое событие, происходившие в 1917 году, с именем Сталина связаны не были. Хотя Сталин и вошел в состав первого Советского правительства в качестве народного комиссара по делам национальностей, но это произошло не столько из-за признания его революционных заслуг, сколько было платой за его преданность Ленину. Сказалась и необходимость иметь в правительстве «национала», не еврея и не русского, из которых оно главным образом и состояло.

На известной фотографии первого Советского правительства Сталин помещен последним, в нижнем левом углу. Это точно отражает его тогдашнее место в большевистском руководстве — самый малозаметный и маловлиятельный, самый посредственный из всех, кто там изображен. Но он не только их всех пережил и поднялся над всеми, но большинство из них стали его жертвами: Троцкий, Рыков, Крыленко, Дыбенко, Антонов-Овсеенко, Шляпников, Ломов и др. Позднее, в 1921 году, он получит еще одну должность —

---

[1] Цит. по: *Волкогонов Д. А.* Указ. соч.

наркома РКИ (Рабоче-Крестьянской Инспекции), главного контрольного органа страны. Но не на государственной службе, к которой он, в общем-то, был равнодушен, а в недрах партийного аппарата делал Сталин свою главную карьеру.

В то время, когда другие воевали, потом рассуждали и спорили о путях развития страны, Сталин методично создавал тот централизованный, строго иерархически выстроенный и предельно бюрократизированный партийный аппарат, опираясь на который он, в общем-то, без серьезных помех стремительно достиг вершин власти в партии и стране. Сталин раньше других понял, что в политической и государственной деятельности аппаратные кадры, чья деятельность внешне незаметна, решают все! Эту истину он в виде знаменитого лозунга «Кадры решают все» озвучит в начале тридцатых годов. Хотя для себя он всегда знал, что на самом деле все решают не просто кадры, а кадры именно аппаратные.

Он и сам закрепился в руководящем ядре партии не потому, что был яркой личностью или обладал выдающимися талантами, а потому, что сумел стать необходимым для Ленина — скромный, незаметный, добросовестный исполнитель с неплохими организаторскими качествами, а главное, человек без всяких амбиций и претензий на то, чтобы играть первые роли. Он всегда в тени, но это тень не простая — это тень Ленина, вождя, первого человека в партии и государстве, горного орла нашей партии, как любил его впоследствии называть Сталин.

Даже кабинет для себя Сталин умел выбрать! Дверь его кабинета в Смольном выходила в приемную Ленина, т. е. он всегда был под рукой, всегда неподалеку. Благодаря этому, а также своей исполнительной незаменимости Сталин вскоре получил привилегию свободного входа в кабинет Ленина в любое время. После переезда правительства в Москву кабинет Сталина в Кремле также разместился рядом с ленинским кабинетом.

В развернувшейся в этот момент борьбе за первенство между Троцким и Лениным названные качества Сталина приобрели особую ценность и открыли ему дорогу в генеральные секретари правящей партии.

Надо отдать должное Сталину. За очень короткий срок, несколько месяцев, он превратил сравнительно скромную должность руководителя технического аппарата Центрального комитета компартии в главный партийный пост. Он сумел этого добиться потому, что взял в свои руки все кадровые назначения в партии и начал ускоренно комплектовать центральные и региональные партийные структуры «своими людьми», т. е. теми, кого он лично знал и которые именно ему обязаны были своим назначением и возвышением в партийной иерархии.

Расширяя и укрепляя партийный аппарат, Сталин создавал одновременно и базу для своего будущего возвышения. По существу, Сталин начал создавать собственную партию внутри партии для завоевания с ее помощью единоличной власти. Не прошли для него даром уроки партийной «демократии», преподанные Лениным, о которых рассказывает в своих воспоминаниях С. Дмитриевский, один из дореволюционных соратников Ленина.

В 1905 году в Таммерфорсе на конференции РСДРП возник вопрос о демократическом централизме. Во время дискуссии Сталин угрюмо молчал. Ему претил какой бы то ни было демократизм.

«К чему это? — сказал он, когда Ленин впервые спросил о его мнении. — Боевая партия должна иметь постоянный состав руководителей, не зависящих от случайности выборов. Разве на войне выбирают начальников?»

Ленин усмехнулся: «Ничего не поделаешь. Новая обстановка — нужно искать и новые формы... Ведь по существу ничего не меняется. Правят не те, кто голосует, а те, кто правит. И уже от умения тех, кто правит, зависит, чтобы они всегда были выбраны...»[1] Сталин все-таки был недоволен. Лишь много лет спустя он понял, что «демократический централизм» — прекрасная вещь, если уметь распоряжаться его аппаратом.

Именно в этом деле Сталин оказался непревзойденным мастером, настоящим корифеем аппаратных игр, что позволило ему застраховать себя от случайностей выборов за счет подбора делегатов конференций и съездов и одновременно использовать механизм голосований для низвержения соперников.

К 1928 году на местах, в республиках и регионах, практически не осталось руководителей партийных органов, избранных в соответствии с уставом партии. Все они были заменены назначенцами Сталина, отобранными его аппаратом. Впоследствии это стало общей практикой выдвижения и назначения кадров

---

[1] Цит. по: *А. Авторханов*. Технология власти. — Frankfurt/Main: Possev-Verlag, 3-е изд., 1983.

через секретариат ЦК и «внутренний кабинет» Сталина.

Эти люди и стали его опорой в партии. Именно они, как правило, молодые члены партии, нередко с сомнительным прошлым, поддерживали Сталина в его борьбе с оппозициями, со старой большевистской гвардией. Сталин нуждался в них, без их поддержки он мало что мог. Но и они нуждались в нем — без Сталина они ничего собой не представляли ни как личности, ни как марксисты, ни как революционеры. Поэтому они с такой готовностью подхватили лозунг «Сталин — это Ленин сегодня!» Ленина они не знали, и он ничего для них не значил. Восхваляя и возвышая Сталина, они возвышали самих себя. В этом и заключена одна из главных причин успешного восхождения Сталина сначала к лидерству в партии, а затем и к единоличной власти.

В связи с этим представляет интерес рассказ одного из сокурсников Сталина по семинарии, приводимый А. Авторхановым в книге «Технология власти»:

Однажды преподаватель древней истории задал нам тему для письменной работы. Тема называлась «Причина гибели Цезаря». Джугашвили написал самое оригинальное сочинение. Отвечая на прямо поставленный вопрос о причинах падения Цезаря, он добросовестно изложил школьную концепцию и добавил от себя — действительная же причина заключалась в том, что у Цезаря отсутствовал аппарат личной власти, который контролировал бы аппарат государственной (сенатской) власти.

В приложенной к сочинению схеме организации власти Цезаря, Сената и провинциальных наместников Джугашвили выводил «белые места», охваченные красными клещами. Белые места — уязвимые точки для нанесения ударов цезаризму, а «красные клещи» — оборонительные меры для их предупреждения. В комментариях к схеме Джугашвили утверждал, что провинциальные наместники были слишком самовольны, чтобы они могли чувствовать над собой не столько власть Сената, сколько дамоклов меч Цезаря. Борьба с сенатской знатью окончилась помилованием врагов и сохранением коллективного символа власти — Сената, что делало иллюзорными права «вечного диктатора». Кроме всего этого, Цезарь искал друзей, чтобы разделить с ними власть, а не исполнителей, которые обязаны повиноваться. Поэтому он и погиб от рук друзей (Кассий и Брут), не огражденный железными клещами верноподданных исполнителей.

Преподаватель спросил своего ученика:

— Не похожа ли ваша схема на абсолютную монархию?

Ученик (Джугашвили. — А. С.) ответил:

— Нет, личная монархия опирается на аппарат государственной власти, а по моей схеме и сам аппарат государственной власти держится аппаратом личной власти.

Если эта история реальна, а не позднейшего происхождения, то следует отметить, что Сталин уже в юношеские годы внес вклад в развитие теории цезаризма и макиавеллизма, а всю последующую жизнь лишь реализовывал на практике эти идеи.

Ленин, несмотря на настигшую его в это время болезнь, первым разглядел, что происходит, и увидел в возвышении Сталина угрозу своему делу. Уже через девять месяцев после назначения Сталина генсеком он пишет свое знаменитое завещание — письмо к съезду, в котором говорит о том, что Сталин в короткий срок сосредоточил в своих руках необъятную власть и что, учитывая его личные качества, необходимо подумать, как переместить его на другое место.

Это ленинское письмо и содержавшаяся в нем характеристика личности Сталина преследовали его всю дальнейшую жизнь и серьезно повлияли на его политику, когда он достиг всей полноты власти. Репрессии тридцатых годов во многом объясняются стремлением Сталина заставить партию забыть о ленинском завещании, даже если для этого ему понадобилось уничтожить практически всех старых членов партии, которые знали содержание ленинского письма или хотя бы слышали о нем.

После смерти Ленина в целях самоутверждения Сталин сделал все возможное для возвеличивания и обожествления Ленина, выступая в качестве его верного ученика и преданнейшего соратника, толкователя его идей и хранителя ленинского наследия. Отсвет величия Ленина, естественно, падал и на его апостолов, среди которых Сталин сумел выделиться в качестве первого и самого верного.

Поэтому ленинское письмо к съезду с крайне нелестной характеристикой Сталина очень ему мешало. Первая его реакция на это письмо выразилась в заявлении об отставке. Ход был беспроигрышным — Сталин знал, что, опасаясь возвышения Троцкого,

Зиновьев, Каменев и другие члены Политбюро никогда не согласятся на его отставку. Так и случилось. И в последующем он не раз использовал этот трюк с мнимой отставкой в критических ситуациях для усиления собственных позиций, когда был наверняка уверен, что его отставка не будет принята.

Как известно, как раз ближайшие соратники Ленина благополучно похоронили его письмо к съезду, сохранив, на свою беду, за Сталиным, вопреки ясно выраженной воле Ленина, пост генерального секретаря партии.

Место генерального секретаря давало Сталину серьезные преимущества в борьбе за власть над партией, а значит, и над всей страной, но еще не гарантировало ему победы в предстоящей схватке. Даже в этом качестве в 1924—1927 годах он был одним из многих и отнюдь не первым лицом. К моменту смерти Ленина среди широкой массы членов партии Сталин был малоизвестен. Гораздо больше его знали в среде партийных функционеров, в быстро формирующейся прослойке партийной бюрократии, на которую он будет опираться в дальнейшем своем восхождении по ступеням власти. Сначала ему нужно было добиться положения лидера партии, на которое вместе с ним претендовали Троцкий, Зиновьев, Каменев и Бухарин. Только после этого Сталин мог начать борьбу за установление абсолютной личной власти.

Ленин при жизни был безусловным лидером и вождем партии большевиков, но даже ему постоянно приходилось иметь дело с сильной оппозицией и нередко оставаться в меньшинстве при обсуждении различных вопросов в ЦК, Политбюро или Совнаркоме. Когда он возглавлял партию, борьба мнений, свободное обсуждение вопросов, внутрипартийная демократия были делом обычным.

При Сталине положение стало быстро меняться. Любая борьба мнений объявлялась оппозицией ленинскому курсу, ленинскому ЦК. Затем следовали обвинения во фракционности. Во имя сохранения единства партии так называемые фракционеры изгонялись из нее, после чего обычно попадали в руки ГПУ. Сталин при этом опирался на ленинское завещание хранить единство партии как зеницу ока и на соответствующие постановления X съезда ВКП(б) по вопросу о единстве партии.

Путь Сталина к личной власти был непрост и лежал через ожесточенную борьбу с оппозициями. Для его самоутверждения оппозиционеры были необходимы как воздух. И чем более известными людьми они были, тем лучше — борьба с ними поднимала значение и самого Сталина. Оппозиционные настроения в партии возникали прежде всего в виде протеста против насаждавшихся Сталиным и его группой порядков внутри партии, против власти обюрократившегося партаппарата, против привилегий нового номенклатурного слоя партийных чиновников и т. п.

Но было и другое. Как это произошло, например, к концу двадцатых годов, когда в партийной среде существовали разные представления о дальнейших путях развития страны и построения социализма. Иначе говоря, речь шла не о внутрипартийной оппозиции, а о борьбе разных мнений, которая неизбежно возникает при коллективном обсуждении тех или иных вопросов. Сталин же подобные, вполне естественные разногласия умело переводил в русло борьбы с отклонениями от генеральной линии партии, объявляя всех, кто посмел ему возражать, оппозиционерами, а самому понятию оппозиции придавая чисто уголовное значение. Вся история восхождения Сталина к вершинам власти до отказа заполнена этой борьбой, которую он зачастую сам же и провоцировал, раздувая естественные разногласия до уровня борьбы с враждебными взглядами. Здесь он действовал по известному рецепту: чтобы человек поверил в определенные взгляды, начните его за них преследовать.

Впервые Сталин приобрел широкую известность в партии и стране не своим участием в революции или подвигами в Гражданской войне, а своей борьбой с Троцким и левой опасностью в партии. И хотя, по существу, это была борьба за лидерство в партии, за «ленинское наследство», объективно она принесла пользу стране, поскольку в ходе ее были осуждены и отвергнуты методы военного коммунизма, перманентной революции, принудительного труда и систематического ограбления крестьянства, к которым склонялись Троцкий и его сторонники.

Борясь с Троцким, Сталин был вынужден выступать за продолжение политики нэпа, за предоставление крестьянам хозяйственной свободы, за развитие торговли и кооперации и т. п. Но как только он достиг своих политических целей и сокрушил Троцкого, он тут же забыл об этом и начал борьбу с «правой опасностью», с «правым уклоном» с чисто троцкистских позиций. В дальнейшем у него уже не было никаких теоретических позиций, кроме насилия, чисток, проработок и репрессий, которые красной нитью проходят через все годы сталинского правления.

В борьбе за власть, а потом — за удержание власти Сталин изобрел два магических понятия, которые, как фокусник, вытаскивал из кармана в нужную минуту: борьба за чистоту марксизма-ленинизма и борьба за генеральную линию партии против отклонений от нее. Поскольку он сам «как верный ленинец и лучший ученик и соратник Ленина» определял, как правило, с помощью специально подобранных цитат, что именно является нарушением чистоты марксизма-ленинизма, Сталин получал огромные преимущества перед соперниками. Именно в его руках была инициатива, именно он навязывал дискуссии, после которых за идеологической и политической дискредитацией, идеологическим «разоружением», как правило, следовало физическое уничтожение его противников.

Удивительнее всего было то, с каким мастерством теоретически малообразованный, да и по складу ума чуждый отвлеченным теоретическим построениям и концепциям — достаточно вспомнить его неудачную попытку изучить философию под руководством известного философа профессора Я. Стэна — Сталин сокрушал своих оппонентов: Троцкого, Зиновьева, Бухарина и др., которые были неизмеримо лучше теоретически подкованы, чем он.

Секрет этого и прост, и сложен: провокация, конспирация, интрига, приписывание оппоненту собственных грехов, перевод любого теоретического спора в политическую плоскость, в разряд ошибок или даже преступлений против партии и народа. Равных Сталину в этом искусстве политической борьбы не было, потому он и смог одного за другим — при этом нередко оставаясь в меньшинстве в Политбюро и ЦК — победить и уничтожить их всех, оставив в своем окружении лишь тех, кто очевидно уступал ему во всем, будучи при этом без размышлений и лести предан лично ему.

Еще более мощным и гибким инструментом политической борьбы в руках Сталина была пресловутая генеральная линия партии, отклоняться от которой было смертельно опасно, но практически никто не смог избежать этого. Сталин так умело жонглировал этим понятием и так часто и неожиданно для всех менял ориентиры и фарватер, что только он один и его подручные в каждый данный исторический отрезок знали, что представляет собой эта так называемая генеральная линия и куда она ведет.

На вопрос анкеты, были ли отклонения от генеральной линии партии, как в известном анекдоте, в шутку и всерьез можно было ответить: колебался (отклонялся) вместе с нею. И шансы сделать партийную или государственную карьеру во времена Сталина были больше у тех, кто мог предвидеть или нюхом почувствовать предстоящие изменения в генеральной линии, а главное, умел дать правильную, т. е. устраивающую Сталина, интерпретацию происходящего. Те же самые три «у»: угадать, угодить, уцелеть, которые и привели к засилью в партии конъюнктурщиков, приспособленцев, карьеристов, подхалимов и т. п.

Все лидеры большевистской партии, включая Ленина, явно недооценили Сталина. Они видели в нем малообразованного, малоинтеллигентного, но волевого и послушного исполнителя, в общем, посредственность, которая ни на что претендовать не может. А он оказался не только талантливым учеником, быстро освоившим школу революционной тактики Ленина, но и выдающимся политическим деятелем, свободным от моральных запретов и угрызений совести, а также от теоретических постулатов и марксистских догм. Сталин любил повторять, что «существует марксизм догматический и марксизм творческий» и что он предпочитает творческий, иными словами, те положения марксизма, которые политически выгодны ему в данный момент, а также то, что является плодом его собственного творчества, например положение об усилении классовой борьбы по мере построения социализма и другие положения, теоретически обосновывающие практику сталинизма и созданную им систему административно-бюрократического социализма.

В самом начале своей политической деятельности Сталин понял значение кадрового вопроса в политике как необходимости для успеха дела иметь повсюду своих людей. «Кадры решают все!» — было для него не просто лозунгом, а важнейшим правилом повседневной деятельности. Подбор и расстановка надежных и лично преданных ему людей в партийно-государственном аппарате было его главным, если не единственным занятием.

По всем теоретическим и практическим вопросам, обсуждавшимся в Политбюро, в ЦК, в правительстве, он поначалу предпочитал занимать соглашательскую позицию, которая заключалась в том, что, выслушав все мнения, он присоединялся к тому, которое имело шансы пройти голосование, так как его придерживалось большинство. Ориентировался он в раскладе сил при этом безошибочно. Однако по мере укрепления его положения во власти Сталин все больше и больше берет на себя функции арбитра, верховного судьи, который не только выносит окончательный вердикт по любому вопросу, но и определяет судьбу каждого участника обсуждения.

Кадровыми вопросами он занимался лично, обязательно встречался с кандидатом на ту или иную должность. В людях разбирался прекрасно. Независимых и сильных людей не терпел, послушных, подобострастных и исполнительных продвигал. Но Сталин не только лично комплектовал руководящую прослойку партийно-государственного аппарата, он также формировал и всю партийную массу. По существу, к середине тридцатых годов большевистская партия стала совершенно иной по своему составу.

Сталин добился этого двумя способами.

1. Периодическими массовыми приемами в партию рабочих от станка, т. е. людей, далеких от политики и мало разбирающихся в теории марксизма, а потому послушных и готовых поддержать любую его идею или действие, которые доводились до партийной массы сформированным им же партаппаратом.

2. Не менее периодическими чистками партийных рядов от «чуждых» элементов, «обуржуазившихся партийцев» и, конечно, от оппозиционеров.

Например, в 1924 году после смерти Ленина по так называемому ленинскому призыву в партию было принято около 250 тысяч рабочих с производства. Одновременно из партии было «вычищено» около

100 тысяч студентов, профессоров и работников вузов и научных учреждений. В дискуссиях, проходивших в 1923 году, они поддерживали Троцкого против Сталина и были объявлены мелкобуржуазными элементами, чуждыми пролетарской партии. После Гражданской войны чистка затронула каждого второго члена партии.

В 1929 году после разгрома Бухарина и «правой оппозиции» Сталин предпринимает новую чистку рядов партии, чтобы «сделать ее более однородной и беспощадно выбросить из рядов партии чуждые ей элементы». И на этот раз таких элементов оказалось более 100 тысяч. В последующие годы для изменения состава партии Сталин уже не ограничивался чистками, а приступил к физическому уничтожению старых членов партии, которое достигло пика в репрессии 1937—1939 годов, когда сотни тысяч членов партии были расстреляны или отправлены в ГУЛАГ.

К моменту смерти Ленина наибольшей популярностью в партии пользовался Троцкий. В одиночку ему никто из большевистского руководства противостоять не мог. Поэтому после смерти Ленина, чтобы не допустить Троцкого к власти, Сталин образует триумвират из наиболее значимых (после Троцкого) членов Политбюро, в который вошли Зиновьев, Каменев и он сам.

В этой тройке несомненным лидером считал себя Зиновьев, бывший в тот момент не только членом Политбюро, но и руководителем Коммунистического Интернационала. Напомню, что в те годы ВКП(б) считала себя одной из фракций Коминтерна. Сталин и здесь держался в тени, руками Зиновьева и Каменева шаг за шагом подрывая и разрушая положение Троцкого в партии, тем самым в то же время укрепляя собственные позиции. Ненавидевшие и боявшиеся Троцкого, Зиновьев и Каменев сделали все возможное для его устранения от руководства партии как оппозиционера и врага партии, а тем самым и для усиления Сталина.

Травля Троцкого началась еще осенью 1923 года, когда объединенный пленум ЦК и ЦКК едва ли не единогласно, за исключением двух голосов, осудил Троцкого за оппозиционные «наскоки на партию». К 1925 году Троцкий был практически изолирован и перестал играть сколько-нибудь заметную роль в партии, поэтому его исключение из состава Политбюро в 1926 году, а затем и из партии в декабре 1927 года прошли безболезненно. Логическим завершением этого этапа борьбы за власть стала высылка в 1928 году Троцкого за границу, чего Сталин не мог простить себе всю последующую жизнь. И только убийство Троцкого, осуществленное НКВД по заданию Сталина в 1940 году, поставило окончательную точку в их борьбе, которая во многом определила атмосферу политической жизни страны во второй половине двадцатых и в тридцатые годы и была одной из скрытых пружин развернувшихся массовых репрессий.

Однако одолеть Троцкого Сталин смог не только благодаря использованию им политического честолюбия и политической недальновидности Зиновьева и Каменева, но не в последнюю очередь и потому, что после смерти Ленина сумел создать себе репутацию лучшего и верного ученика и соратника умершего вождя, а также неустанного защитника ленинского наследия. Вооруженный ленинскими цитатами, он как дубинкой сокрушал ими своих политических противников, встав в позу борца за единство партии и объявив всякое выступление против себя, любое высказывание собственного мнения, которое отличается от его взглядов, отступлением от генеральной линии партии, угрозой единству партии. Действуя так, он шаг за шагом превратил сначала в оппозиционеров, а затем и во врагов народа все ленинское окружение, всех старых большевиков, т. е. партийцев с дореволюционным стажем.

В самом начале разгоревшейся борьбы за власть Сталин осуществил хитроумную акцию. По его предложению в целях увековечения памяти вождя и сбора по крупицам драгоценного ленинского наследия был создан Институт Ленина, делами которого заправлял руководитель сталинского аппарата И. Товстуха. В ноябре 1923 года Политбюро в порядке партийной дисциплины обязывает всех членов партии, хранящих у себя записки, письма, резолюции и прочие материалы, написанные рукой Ленина, сдать их в Институт Ленина «в целях создания единого хранилища всего рукописного наследия вождя». На самом же деле ленинские материалы потребовались Сталину для того, чтобы использовать их как компромат в борьбе с другими видными деятелями партии. Ленин нередко спорил с ними или, не стесняясь в выражениях, ругал их по тому или иному вопросу. Заодно можно было и уничтожить любые негативные упоминания или выражения Ленина в свой адрес. Эта операция дала Сталину в руки обширный материал, который он обильно и умело использовал в борьбе с оппозициями.

Затем Сталин начал утверждаться в качестве верного и преданного соратника Ленина. А после появилась и теория двух вождей: Ленина и Сталина, которые совершили революцию, создали партию и первое в мире социалистическое государство. К концу жизни Сталин вообще выдвинется на первое место, и имя Ленина будет упоминаться лишь как парное, только в сочетании с именем Сталина.

В. Гроссман в книге «Жизнь и судьба» писал об этом так:

«Не у них — Бухарина, Рыкова, Зиновьева была ленинская правда. И не у Троцкого была она. Они ошиблись. Никто из них не стал продолжателем дела Ленина. Но и Ленин до последних своих дней не знал и не понимал, что дело Ленина станет делом Сталина. Дело Ленина дало Сталина».

В 1929 году, к своему пятидесятилетнему юбилею, Сталин повторит эту акцию, обязав всех членов партии сдать имеющиеся у них материалы теперь уже о нем самом, включая мемуары, в целях подготовки обширной и полной биографии вождя, которая, однако, так и не была создана. Зато все материалы о себе, которые так или иначе могли его скомпрометировать, Сталин изъял и уничтожил, принявшись затем за уничтожение авторов не понравившихся ему мемуаров.

Обезвредив Троцкого, Сталин принялся за остальных. **Номером первым в партии в этот момент становится Зиновьев.** Как пишет Б. Бажанов, «Каменев —

и номер второй, и фактически заменяет Ленина как председателя Совнаркома и председателя СТО. Он же председательствует на заседаниях Политбюро. Сталин — номер третий, но его главная работа подпольная, подготовка завтрашнего большинства. Каменев и Зиновьев об этой работе не думают — их первая забота, как политически дискредитировать и удалить от власти Троцкого»[1].

И они это сделали, тем самым расчистив путь не для себя, а для Сталина, который уже в 1925 году начинает клеймить их как оппозиционеров. Сталин припомнил им все старые грехи, объявил их предателями партии, в подтверждение чего сослался на Ленина, который в октябре 1917 года писал о предательстве Зиновьева и Каменева.

Как известно, они выступили тогда против вооруженного восстания и обнародовали предполагаемую дату выступления большевиков. Однако указанное обстоятельство не помешало Ленину впоследствии сотрудничать с ними и ввести их в состав Политбюро. Сталин же использовал эти факты не только для политической компрометации Зиновьева и Каменева, но и для полного устранения их от руководства партией, а затем и исключения из партии. Произошло это осенью 1927 года, при этом характерно, что одновременно из партии были исключены два злейших противника: Троцкий и Зиновьев, а через месяц за ними последовали Каменев и еще 75 активных участников оппозиции Сталину.

Но и на этом Сталин не остановился. Ему важно было не только сокрушить противника, но еще и уни-

---

[1] Цит. по. *Б. Бажанов.* Указ. соч.

зить его, растоптать, сломать его нравственно, а уже затем добить и физически. На протяжении почти целого десятилетия Каменев и Зиновьев будут фигурантами различных политических процессов, в ходе которых они признавались во все новых преступлениях против партии и государства. После 1927 года Зиновьев и Каменев перестают играть какую-либо роль в политической жизни страны. Но они еще надеются вернуться во власть и поэтому на ближайшем съезде выступают с покаянными речами, признавая правоту Сталина. Их восстановят в партии, но ненадолго. В 1932 году в связи с делом М. Рютина их снова исключат из партии — знали о контрреволюционном заговоре, но не донесли! — и на этот раз сошлют: Зиновьева — в Кустанай, Каменева — в Минусинск.

В следующий раз Сталин вспомнит о них после убийства Кирова. Он прикажет получить от убийцы (Леонида Николаева) признание в том, что тот получил задание убить Кирова от Зиновьева и Каменева. Когда же этот вариант не пройдет из-за нежелания Николаева дать такие показания, они все равно будут привлечены к уголовной ответственности в связи с этим убийством. Запуганные угрозой репрессий против членов их семей, Зиновьев и Каменев согласились признать, что они несут политическую и моральную ответственность за это убийство, хотя лично к нему непричастны. В январе 1935 года военный трибунал осудит обоих на пять лет лагерей. Но и на этом гонения против них не завершатся.

В 1936 году они станут главными обвиняемыми по процессу «объединенного троцкистско-зиновьевского центра», составившего гигантский заговор с целью убийства Сталина и других руководителей партии для захвата власти в стране. Им же вменялась в вину и организация убийства С. Кирова. Кроме антиправительственного заговора они были обвинены также в том, что действовали по заданиям «международного империализма» и осуществляли шпионаж и вредительскую деятельность в пользу Германии и Японии, подготавливая интервенцию последних против Страны Советов.

Но и этого Сталину показалось мало. Он потребовал от них публичного покаяния и полного признания в своей шпионской, вредительской, террористической деятельности. Зиновьев и Каменев в качестве условия подписания своих признательных показаний и согласия выступить в суде, как от них требовалось, в свою очередь, настаивали на личной встрече со Сталиным. Такая встреча состоялась. Сталин произнес перед ними целую речь, после чего они согласились на все.

Приводимый ниже отрывок из этого монолога Сталина взят нами из книги А. Орлова «Тайная история сталинских преступлений».

Было время, когда Каменев и Зиновьев отличались ясностью мышления и способностью подходить к вопросам диалектически. Сейчас они рассуждают, как обыватели. Да, товарищи, как самые отсталые обыватели. Они себе внушили, что мы организуем судебный процесс специально для того, чтобы их расстрелять. Это просто неумно! Как будто мы не можем расстрелять их без всякого суда, если сочтем нужным. Они забывают три вещи:

Первое — судебный процесс направлен не против них, а против Троцкого, заклятого врага нашей партии;

Второе — если мы их не расстреляли, когда они активно боролись против ЦК, то почему мы должны расстрелять их после того, как они помогут ЦК в его борьбе против Троцкого?

Третье — товарищи также забывают, что мы, большевики, являемся учениками и последователями Ленина и что мы не хотим проливать кровь старых партийцев, какие бы тяжкие грехи по отношению к партии за ними ни числились.

Каменев после этих слов заявил об их с Зиновьевым согласии предстать перед судом и дать нужные показания, если им обещают, что никого из старых большевиков не ждет расстрел, а их семьи не будут подвергаться преследованиям.

Сталин ответил: «Это само собой понятно».

В ночь на 24 августа 1936 года всем шестнадцати обвиняемым по этому делу — Зиновьеву, Каменеву, Смирнову, Мрачковскому, Тер-Ваганяну и др., в т. ч. тайным агентам НКВД, на показаниях которых и было построено дело: Пикелю, Рейнгольду, Ольбергу, Берману и Давиду — был вынесен и немедленно приведен в исполнение смертный приговор. Такова цена сталинских обещаний!

С этого процесса началось планомерное, продуманное уничтожение старой гвардии большевиков, продолжавшееся вплоть до 1939 года, когда почти никого из соратников Ленина не осталось в живых.

К этому моменту никакой политической необходимости в физическом устранении своих бывших соперников у Сталина уже не было. Они давно были политическими трупами, а он безраздельно утвердился в качестве единственного вождя партии и страны. Ни о какой оппозиции ему уже не могло быть и речи. За Зиновьевым и Каменевым последовали Бухарин, Рыков, Пятаков, Радек, Сокольников, Муралов, Крыленко, Дыбенко, все военная верхушка страны, а за ними почти все старые чекистские кадры — от Ягоды, Агранова, Прокофьева, Молчанова и др. до Ежова и его сподручных. В дальнейшем планомерном уничтожении старых партийных и государственных кадров одни исследователи усматривают проявление сталинской болезни — параноидального страха и мании преследования, другие — осуществление давно задуманных планов по устранению неугодных ему людей. Думаю, что в действительности все было и проще, и сложнее.

Не было поначалу у Сталина подобных планов — триллеров, как их называет и красочно описывает Э. Радзинский. Все происходило как бы само собой. Сталин был предельно прагматичным человеком и дальних планов не строил. Он боролся в каждый данный момент с теми, кто, по его мнению, представлял лично для него и для установленной им системы власти наибольшую опасность. Поскольку он по характеру и по жизни, как теперь говорят, предпочитал силовые решения, недобрать для него было хуже, чем перебрать.

Вспомним, в чем упрекал Сталин своего любимого персонажа российской истории Ивана Грозного. По мнению Иосифа Грозного, далеко переплюнувшего свой исторический образец по части душегубства, «одна из ошибок Ивана Грозного состояла в том, что он не дорезал пять крупных феодальных семейств. Если бы он эти пять боярских семейств уничтожил, то вообще не было бы Смутного времени. А Иван Грозный кого-нибудь казнил и потом долго каялся и молился. Бог ему в этом деле мешал... Нужно было быть еще решительнее»[1]. Весьма своеобразное понимание истории обнаруживает в этом высказывании Сталин: дорезал — не дорезал, на уровне кавказского абрека. Но главное в этом высказывании подтекст. Уж Сталину-то решительности и беспощадности хватит, чтобы дорезать всех, и никто, включая Бога, в этом ему не помешает. Сомнения, колебания, чувство раскаяния, а тем более покаяния ему вообще были неведомы.

Именно в эти годы беспощадных расправ с оппозицией и со всеми недовольными режимом получили широкую известность шесть заповедей безопасности советских граждан, которые приводит А. Авторханов в своей книге «Технология власти».

1. *Не думай.*
2. *Если подумал, не говори.*
3. *Если сказал, не записывай.*
4. *Если написал, не печатай.*
5. *Если напечатал, не подписывай.*
6. *Если подписал, откажись!*

Как это перекликается со словами руководителя грузинских большевиков и старого недруга Сталина Буду Мдивани, которые он сказал перед смертью: «Я знаю Сталина тридцать лет.

---

[1] Цит. по: *Марьямов Г.* Кремлевский цензор. Сталин смотрит кино. — М., 1992.

Он не успокоится, пока не перережет нас всех, начиная от грудного младенца и кончая слепой прабабушкой»[1].

Был и еще один важный мотив, побуждавший Сталина постоянно инициировать все новые репрессии. Дела в стране шли неважно, да и не могло быть по-другому при созданной им системе власти. Чтобы оправдать перманентные экономические провалы и недопустимо тяжелые условия жизни, приходилось искать врагов, которые мешают строить новую жизнь, и изобретать теории «усиления классовой борьбы и сопротивления свергнутых классов по мере продвижения по пути к социализму». Тут-то и пригодились в качестве козлов отпущения бывшие партийные оппозиционеры.

Развязав репрессии против старых большевиков, которые знали ему цену, Сталин убивал сразу не двух, а нескольких зайцев. Он избавлялся от политических противников, давал толпе возможность громко выразить свое негодование, держал своих подручных и весь народ в постоянном страхе, постоянно менял кадры, выдвигая новых, лично ему обязанных людей на партийные и государственные посты.

Другим мотивом было стремление скрыть следы своих преступлений. Никаких сомнений в преступном характере многих своих действий у Сталина не было. Отсюда стремление засекретить работу Политбюро — протоколов не вести, записывать только принимаемые решения, ход обсуждения и высказываемые мнения не фиксировать и т. д. — да и практически

[1] Цит. по: *А. Орлов*. Указ. соч.

всю деятельность компартии. При Сталине все партийные документы носили секретный характер.

В этом же ряду стояло и периодическое уничтожение документов и бумаг, по которым можно установить личное участие Сталина в решении того или иного вопроса.

Лично визируя списки смертников, он настойчиво создавал впечатление о том, что вождь не в курсе происходящего. «Сталин ничего не знает, беззакония творят преступные исполнители» — в этот миф верили миллионы жертв и их близкие. Нужно только достучаться до Сталина и тот восстановит справедливость. Кое-кому, единицам из десятков и сотен тысяч, это удавалось. Они обретали по милости Сталина свободу, а миф о непогрешимости вождя получал очевидную подпитку.

Посылая на смерть наиболее ярых инквизиторов из НКВД — Ягоду, Ежова и др., Сталин также поддерживал в народе веру в свою непогрешимость и высшую справедливость. Время от времени он выступал со статьями и заявлениями, в которых осуждал «перегибы» на местах. Достаточно вспомнить, например, как в период коллективизации его статья «Головокружение от успехов» сыграла важную роль в изменении атмосферы в деревне, доведенной до полного отчаяния бесчинствами местных организаторов колхозов.

На самом же деле все, что происходило в стране, делалось по его прямым указаниям. Именно он был наиболее последовательным идеологом ограбления деревни, осуществления индустриализации страны за счет крестьянства с применением методов «военного коммунизма». Именно по этому вопросу у него были принципиальные расхождения с Н. Бухариным и так называемым правым уклоном в партии, закончившиеся практически полным уничтожением всех, кто не соглашался с варварскими методами индустриализации и коллективизации страны.

Политические процессы тридцатых годов при всей абсурдности обвинений и жестокости наказаний еще могут быть объявлены издержками борьбы за власть. Но как объяснить безумие поголовного истребления кадров партийного и государственного аппаратов, промышленности, сельского хозяйства, культуры в 1937 году? А уничтожение командного состава армии, что, как известно, серьезно ослабило страну и нанесло колоссальный ущерб ее безопасности? Все это соображениями борьбы за власть объяснить невозможно.

Повторюсь, для Сталина в этот период вопрос стоял не о борьбе за власть — она давно уже была завоевана им, — а об удержании абсолютной личной власти над страной. К этому времени ни в партии, ни в стране у него уже не осталось не только оппозиции, но и даже простых оппонентов. Никто не смел ни перечить, ни возражать ему. Все знали его злопамятность и понимали, что спорить с ним даже по третьестепенным вопросам смертельно опасно. При отсутствии политических соперников или противников Сталин реально мог опасаться только созданной им же политической полиции — неважно, называлась она ГПУ, ОГПУ или НКВД, а впоследствии КГБ, — подлинную силу и методы работы которой он хорошо знал, а также военной верхушки, о нелюбви которой к нему он также был хорошо осведомлен.

Но чтобы справиться с ними, нужно было сначала создать в стране обстановку всеобщей подозрительности, доносительства и страха. Политические процессы первой половины тридцатых годов и призваны были нагнетать эту атмосферу, создав условия для последующей расправы с чекистами и военными. Нередко те, кто пишет о процессах над старыми большевиками, склонны усматривать их причины преимущественно в мстительности Сталина, в его стремлении устранить свидетелей или бывших противников. Несомненно, эти мотивы имели место, но не они были главными. К 1937 году Сталин уже мог не опасаться старых большевиков — их осталось немного, и они были морально раздавлены тем, что происходило с партией и страной все эти годы. Избавляясь от них, Сталин просто создавал фон, благодаря которому он смог приступить к осуществлению главной задачи: нейтрализации чекистов и армии, т. е. той среды, где если еще не возникло, то объективно могло возникнуть сопротивление его личной власти.

Боязнь этого была у Сталина столь велика, что он пренебрег даже соображениями безопасности страны, хотя в воздухе явно запахло войной. Если учесть эти соображения, то резкий и неожиданный для всех, в т. ч. и для Запада, поворот Сталина от конфронтации с Гитлером к союзу с ним становится объяснимым. Примечательная деталь: когда Черчилль в августе 1942 года прилетел в Москву и в одном из разговоров со Сталиным спросил, почему тот не учел его предостережения о готовящемся нападении Германии, сделанное еще в апреле 1941 года, Сталин ответил: «Нам не нужны были никакие предостережения. Мы и так знали о планах Гитлера, но хотели выиграть время — еще хотя бы полгода»[1]. Сталин прекрасно понимал, что после чистки командного состава в 1937—1939 годах его армия небоеспособна, но это была именно его армия — после чистки он мог управлять ею и доверять ей безраздельно.

Вполне допустимо предположение, что репрессии 1937 года достигли такого размаха, к которому Сталин поначалу и не стремился. Но уже была создана такая атмосфера всеобщей подозрительности и доносительства, такой виток шпиономании и охоты на ведьм — врагов народа, — при которой все доносили друг на друга. Кто из мести, кто из страха, кто из зависти или по злобе, а кто из-за желания завладеть комнатой соседа в коммунальной квартире или его женой. Ситуация весьма жизненная, если вспомнить, что сам Сталин избавился от первого возлюбленного своей дочери, посадив его в лагерь как английского шпиона.

Бездарности обличали таланты, подчиненные — начальников, члены партии — беспартийных, жильцы коммунальных квартир — соседей, малограмотные — образованных, «гнилых интеллигентов» и т. д. Чекисты едва успевали принимать меры по поступающим к ним сигналам и доносам. Именно в те годы в психологии и нравственности народа произошел тот надлом, тот сдвиг, от которого мы не можем избавиться до сих пор.

---

[1] Черчилль У. Вторая мировая война. Книга 2. Т. III—IV. М., 1991. С. 521.

Все это приняло такой размах, что стало угрожать самому инициатору репрессий.

Чтобы остановить машину репрессий, начавшую выходить из-под его контроля, Сталину пришлось поменять руководство и уничтожить значительную часть аппарата НКВД, призвав для этого Берию, который становится в этот период его верным и ближайшим подручным, а в конце концов и могильщиком.

Репрессии 1937—1939 годов обескровили и обессилили страну. Зато Сталин мог спокойно управлять созданной им империей. Все складывалось для него удачно, если бы не война.

Нападение Германии 22 июня 1941 года было для Сталина шоком, из которого он долго не мог выйти. И дело не в неожиданности или внезапности такого нападения. Легенда о вероломном и внезапном нападении как главной причине страшных поражений Красной Армии в 1941 году была придумана сталинской пропагандой для народа, чтобы хоть как-то объяснить происшедшее. В действительности же Сталин давно готовился к войне, понимал, что в начавшейся мировой войне придется принимать участие, более того, рассчитывал всех перехитрить, переиграть и выйти победителем в этой войне.

Разгром японцев на Халхин-Голе, достаточно успешные действия нашей авиации и танков в испанских сражениях против немцев и Франко, кровопролитная, но в итоге завершившаяся победой зимняя война с Финляндией, бескровное присоединение к Советскому Союзу Литвы, Латвии, Эстонии, Западной Украины и Западной Белоруссии — все это убеждало его в возможности одержать победу в мировой войне, которая должна была стать прологом к краху империализма и победе социализма в мировом масштабе.

На что рассчитывал Сталин? Прежде всего на то, что Гитлер, памятуя итоги Первой мировой войны, не решится воевать на два фронта: одновременно на Западе и на Востоке. Первый этап войны вроде бы подтверждал его расчеты. Гитлер, начав покорение Европы, стремился обезопасить свой тыл на Востоке и шел на серьезные уступки Сталину, только чтобы не допустить войны на два фронта. Сталин уверовал, что, пока Гитлер не разгромит Англию, он не пойдет на Восток. Поэтому-то нападение Германии в июне 1941 года означало крушение всех его стратегических планов, хотя признаков начинающейся войны и предупреждений о дате возможного нападения было более чем достаточно.

Вот характерный для него жест. На одном из донесений разведки НКВД от 16 июня 1941 года с предупреждением о готовящемся вскоре нападении Германии на СССР Сталин накладывает следующую резолюцию: «Можете послать ваш источник из штаба германской авиации к... матери. И. Сталин».

Вождь, как всегда, полагался только на себя и все, что противоречило его расчетам и ожиданиям, отметалось им и очень дорого обошлось стране. Особенно тяжелым ударом стало падение Киева — почти на сутки после этого он полностью устранился от дел и уединился на ближней даче. Это дало основание некоторым авторам, исследовавшим этот период деятельности Сталина, для обвинений его в фактическом дезертирстве — ведь он был Верховным Главнокомандующим и обязан был именно в этот момент руководить армией и принимать неотложные решения. А он бездействовал. Паника, суматоха, растерянность, царившие повсюду в стране в первые недели войны, во многом объясняются бездействием и молчанием Сталина. Страну десятилетиями убеждали в его мудрости и непогрешимости, и она ждала его слова в критические дни, когда поражения следовали одно за другим. Не мог без него ничего решать и ближний круг его соратников и приближенных. Всех, кто мог бы в эти трагические дни взять на себя ответственность за страну и армию, возглавить сопротивление врагу, он уничтожил. Оставшиеся соратники были способны лишь холуйствовать и выполнять его приказы. Сама ситуация вынудила Сталина преодолеть слабость и растерянность и вернуться в строй.

3 июля он выступает со своим знаменитым обращением к народу и объявляет немцам народную, священную, Отечественную войну. В этом обращении нет обычных штампов коммунистической пропаганды. Оно взывает к чувству патриотизма, национальной гордости, человеческого достоинства. Обо всем этом советские люди никогда раньше не слышали из уст своих руководителей.

В повести К. Симонова «Дни и ночи» комбат Сабуров так вспоминает первое выступление Сталина после начала войны:

«К Вам обращаюсь я, друзья мои!» — сказал тогда, в июле, Сталин голосом, от которого Сабуров

вздрогнул. Кроме обычной твердости была тогда в этом голосе какая-то интонация, по которой Сабуров почувствовал, что сердце говорящего обливается кровью. Это была речь, которую он потом на войне почти неизменно вспоминал в минуты самой смертельной опасности, причем вспоминал даже не по словам, не по фразам, а по голосу, каким она была сказана, по тону. Как в длинных паузах между фразами булькала наливаемая в стакан вода. И хотя в то утро он был один на один со своим репродуктором, ему неизменно казалось, что именно тогда, слушая эту речь, он дал клятву сделать на этой войне все, что в его силах. Он думал, что Сталину было тяжело и в то же время, что он решил победить. И это соответствовало тому, что чувствовал тогда сам Сабуров, потому что и ему тогда тоже было тяжело, и он тоже решил победить любой ценой.

Страну, придавленную страхом и только-только начинавшую оправляться от невиданных по размаху в истории человечества репрессий 1937—1939 годов, трудно было вдохновить на подвиги во имя того режима, который методично и безжалостно уничтожал миллионы своих граждан. Более двух миллионов советских военнопленных в первый год войны — это не только результат успехов гитлеровской военной машины, но и нежелание людей сражаться за ненавистный режим!

Сталин понимал это и потому так жестоко расправился с оставшимися в живых после ада немецких концлагерей военнопленными в конце войны. Но в тот начальный ее период он нашел единственные слова, идущие от сердца к сердцу, которые подняли народ на борьбу с врагом. С этого момента у немцев не было уже ни одного шанса выиграть эту войну. Впереди были еще тяжкие испытания, например осенью 1941 года, когда Сталин был готов заключить с Гитлером мирный договор на условиях передачи Германии оккупированной части Советского Союза и дал соответствующее поручение Берии начать переговоры с немцами об этом по закрытым каналам[1], или летом 1942 года, когда он издает свой печально знаменитый приказ № 227 от 28 июля 1942 года «Ни шагу назад!», в соответствии с которым каждый солдат и офицер, отступивший со своих позиций, подлежит расстрелу и т. д. Однако самым важным было то, что народ воспринял эту войну как глубоко личную, именно Отечественную, что сделало его непобедимым.

Потерпев вначале сокрушительное поражение, Сталин выиграл и в этот раз, потому что отодвинул идеологию в сторону, обратился к национальным патриотическим чувствам народа. Идеология марксизма-ленинизма в сталинской трактовке оказалась более гибкой и жизненной, чем нацистская. Если для победы нужно было обратиться к религиозным чувствам людей, то воинствующий атеист Сталин сде-

---

[1] Эту версию отстаивал, в частности, Д. Волкогонов, ссылаясь при этом на мемуары К. Жукова, Н. Хрущева и П. Судоплатова (последний неоднократно опровергал Д. Волкогонова, утверждая, что все описанные действия проводились в качестве зондажа умонастроений верхушки нацистской Германии или операции по стратегической дезинформации противника). Споры по этому поводу продолжаются до сих пор. — *Прим. ред.*

лал это. В 1942 году по его указанию по стране было открыто более 20 тысяч церквей. На время были позабыты коммунистические призывы и лозунги. Их сменили понятные и близкие сердцу каждого человека призывы: «Родина-мать зовет!», «Убей врага!», «Защити своего ребенка, свою семью, свою страну!», «Кто с мечом к нам придет, от меча и погибнет!», «Наше дело правое. Враг будет разбит. Победа будет за нами!».

Сталин сумел идентифицировать себя с Родиной. Поэтому солдаты в бой шли с возгласами: «За Родину! За Сталина!»

На протяжении всего периода войны Сталин умело дирижирует национально-патриотическими чувствами населения. Он открывает закрытые прежде храмы, поддерживает церкви, возвращает старые дореволюционные названия улицам и площадям, например в 1943 году в Ленинграде учреждает ордена Александра Невского, Суворова, Кутузова, медали Нахимова и Ушакова, возвращает в армию офицерские погоны и др. Сделав ставку на национально-патриотические чувства народа, он выиграл.

Одновременно происходит тотальная милитаризация государственной машины и всех сторон жизни в стране. Сталин установил режим беспрекословного подчинения и железной дисциплины. Достаточно привести только одну цифру, чтобы понять, как была выиграна эта война. Только в армии за годы войны за трусость и дезертирство, «предательство и измену Родине» было расстреляно более 900 тысяч солдат и офицеров[1]. Если добавить к этому аналогичные жертвы среди гражданского населения, то эта цифра наверняка удвоится или даже утроится. Такими способами Сталин подкреплял национально-патриотические настроения, поддерживал «морально-политическое единство армии и народа».

Именно в военные годы Сталин завершил огосударствление партии, превращение ее в своеобразный орден меченосцев, приспособленный для осуществления его единоличной власти. Он давно уже перестал собирать партийные съезды, пленумы ЦК и другие коллективные органы по решению вопросов партийной и государственной жизни, хотя по Уставу партии ее съезды должны были созываться ежегодно, а пленумы ЦК не реже одного заседания в два месяца. По подсчетам Д. Волкогонова, «с 1934 года (после XVII партсъезда) по 1953 год (год смерти Сталина), т. е. за двадцать лет, в основном до войны, состоялось всего два партийных съезда, одна конференция, 22 пленума ЦК. Перерыв между XVIII и XIX съездами партии — 13 лет! Были годы — 1941, 1942, 1943, 1945, 1946, 1948, 1950, 1951, — когда Центральный Комитет на свои заседания не собирался ни разу! По сути, партия стала послушной машиной выполнения указаний «господствующей личности»[2].

---

[1] Источник происхождения этой цифры неясен. Согласно данным, приведенным в вышедшей в 1993 г. монографии специальной комиссии советского Генштаба во главе с генерал-полковником Г. Ф. Кривошеевым под названием «Гриф секретности снят» («Воениздат»), военными трибуналами было осуждено 995 тысяч военнослужащих, расстреляно — 135 700 человек. — *Прим. ред.*

[2] Цит. по: *Волкогонов Д. А.* Указ. соч.

Все нити руководства страной сосредоточились в руках Сталина, который к концу войны занимал все высшие государственные и партийные посты, от генерального секретаря компартии и председателя Совнаркома до министра обороны и Верховного Главнокомандующего. Это был момент его наивысшего торжества. В Ялте и Потсдаме он был главной фигурой, определявшей судьбы европейских народов и государств. Созданная при его активном участии послевоенная система устройства мира просуществовала без серьезных изменений и глобальных войн более 45 лет. Рекордная продолжительность существования геополитической системы двуполярного мира; сосуществования и противостояния двух лагерей, двух социально-экономических систем.

Казалось бы, для Сталина наступило самое время, да и по возрасту тоже, почивать на лаврах и купаться в потоке славословий в свой адрес. Но Сталин не был бы Сталиным, если бы удовлетворился только этим. Поощряя и ускоряя процесс своего обожествления, он в то же время занялся излюбленным занятием: поиском и уничтожением врагов.

Он не забыл никого: ни Власова с его русской освободительной армией, воевавшей на стороне немцев, ни военнопленных, ни даже белоказаков, компактно проживавших со времен Гражданской войны в эмиграции на территории Сербии и Австрии. Около 40 тысяч казаков и членов их семей было выдано англичанами Сталину. Большинство было расстреляно, остальных ожидал ГУЛАГ. Пострадали целые народы: крымские татары, ингуши, калмыки, чеченцы и другие, которые, по его мнению, предательски вели себя во время войны, оказывали немцам помощь в борьбе с партизанами и сражались на стороне врага.

Следующий виток репрессий, уже послевоенных, пришелся на интеллигенцию, на целые слои населения в странах народной демократии, которые осмеливались проявлять недовольства оккупационным режимом и т. д. До самой его смерти машина репрессий работала непрерывно.

В 1953 году, после XIX партийного съезда, последнего при его жизни, престарелый и сильно сдавший по части здоровья диктатор сложил с себя обязанности генерального секретаря партии, одновременно ликвидировав этот пост. Однако до самой смерти он продолжал оставаться первым лицом в партии и государстве, носителем такой всеобъемлющей власти, какой не обладал ни один правитель до него. Да и после него вряд ли кому удастся достичь подобной власти над людьми.

За тридцатилетний период пребывания у власти Сталин сумел создать самую совершенную, самую универсальную из всех известных истории диктаторских систем. В соответствии с марксистским учением, она носила название диктатуры пролетариата. В действительности это была система личной власти, личной диктатуры, покоившаяся на комбинации из трех элементов: компартии, при полном устранении с политической арены других партий и политических организаций, политической полиции, при полном отсутствии законодательных ограничений в ее деятельности, и армии, являвшейся инструментом внутреннего подавления и внешней экспансии.

«ставили на ноги», т. е. лишали персональной
...ины, или «ударяли по животу», т. е. лишали пра-
...льзоваться спецраспределителями и столовыми,
...ем шло выселение с персональных дач и из пра-
...ственных квартир. Заканчивалось обычно ка-
...ми на Лубянке, расстрелом или в лучшем слу-
...УЛАГом. Участь наказанного разделяли обычно
...ны его семьи.

...алин поощрял вольготную жизнь номенкла-
...ых работников, строил для них дома отдыха и
...ории, спецбольницы и спецраспределители ма-
...льных благ, но платой за это было беспреко-
...ое повиновение и бездумная исполнительность,
...нение его руководящих указаний любой ценой.
...этом он зорко следил, чтобы его соратники и
...ченцы, пользуясь всем государственным, не
...лись к личному обогащению, не становились
...енниками какого-либо имущества. Отступни-
...еймили за мелкобуржуазное перерождение и
...о наказывали. Интересный факт приводится в
...минаниях Л. Кагановича. Когда в 1957 году его
...аве «антипартийной группы» исключили из
...и и выселили из правительственной квартиры,
...обнаружил, что ничего своего у него не было.
...посуда и постельные принадлежности, не го-
...уже о мебели, были государственными. Посл...
...службы человек, фактически бывший трети...
...ятельности лицом в государстве после Стали...
...отова, выехал из государственных апартаме...
...астную жизнь с двумя чемоданами носильн...

Решающую идеологическую и организаторскую роль в этой системе играл огромный бюрократический партаппарат, породивший особо привилегированный слой советского общества — партноменклатуру. Функции подавления осуществляла политическая полиция, прокуратура, суды, ГУЛАГ, руководители которых также являлись частью партийной номенклатуры, пользовались ее привилегиями. Они же «присматривали» за другими номенклатурными работниками, т. е. за партийным аппаратом в узком смысле слова, комсомольским и профсоюзным аппаратами, а также за государственными чиновниками, высший слой которых также принадлежал к партноменклатуре.

«Сталинский режим держится не организацией Советов, не идеалами партии, не властью Политбюро, не личностью Сталина, а организацией и техникой советской политической полиции, в которой самому Сталину принадлежит роль первого полицейского»[1], — писал А. Авторханов в книге «Технология власти», называя эту силу «универсальным чекизмом». Такая характеристика неверна, поскольку сильно упрощает реальную картину и механизм сталинского режима, да и роль самого Сталина, создателя этой системы, принижает до уровня первого полицейского.

Быть первым можно в каком-то ряду, списке, где есть еще второй, третий и т. д. Он же ощущал себя единственным, а не возглавляющим некий «список», особенно если в нем те, на фоне которых еще вчера он сам был далеко не первым. Со временем он и дру-

---

[1] Цит. по: *А. Авторханов.* Технология власти. — Frankfurt/Main: Possev-Verlag, 3-е изд., 1983.

гих заставил почувствовать то же самое: есть Сталин и все остальные. Так возник Сталин — вождь, фюрер, полубог! Остальные были просто подручными, послушными исполнителями его воли.

В созданной Сталиным системе личной власти не было второго или третьего лица в государстве. Как не было у него и преемников. Любой, независимо от занимаемой должности, званий и заслуг, мог быть когда угодно расстрелян, как члены Политбюро Каменев, Зиновьев, Рыков, Вознесенский и др.; секретари ЦК партии Рудзутак, Эйхе, Кузнецов и др., отправлен в отставку, как маршал Жуков, либо разжалован, направлен в ГУЛАГ и т. п.

К тому же не следует забывать, что режим эволюционировал, а потому говорить о всевластии политической полиции можно лишь применительно к отдельным его периодам. Например, в 1935—1938 годах действительно решающая роль в системе принадлежала НКВД, однако после тотального уничтожения руководящих кадров этой организации в 1938—1940 годах доминирующее положение в системе вновь занял партаппарат.

С внешней, формально-правовой стороны структура созданного Сталиным режима состояла из трех элементов.

1. Советская власть, органы которой выполняли декоративно-государственную функцию, долженствующую свидетельствовать о социалистической демократии.

2. Коммунистическая партия, органы которой выполняли одновременно идеологические и властно-го-

сударственные функции и доминир[...]
остальными структурами общества.[...]

3. Силовые структуры (ЧК-ГП[...]
МГБ-КГБ, прокуратура, судебные [...]
армия, ГУЛАГ), которые являлись[...]
проведения политики коммунистиче[...]

Изнутри эта система скреплялас[...]
бого слоя или касты людей, бюрокра[...]
тической одновременно, именовавш[...]
клатурой, по-современному выра[...]
элиты. Чтобы войти в нее, необход[...]
просто членом компартии, а прина[...]
тиву, т. е. стать партийным функ[...]
крывало возможность самой разно[...]
во всех сферах жизни. Именно эт[...]
цементировала всю систему.

Каждый из элементов этой сис[...]
грузку, а их взаимодействие обес[...]
стью Сталина и созданным им в[...]
ным аппаратом власти. Созданна[...]
образцом идеологического, полити[...]
над людьми. Ее называют иногда[...]
или казарменным социализмом. [...]
восочетание было весьма условн[...]
ным. Социализмом в этой систем[...]
листической была лишь насквоз[...]
гия режима.

В этой системе был осущест[...]
равенства — равенство в беспра[...]
перед произволом власти. Никт[...]
себя спокойно и не был защищ[...]
тели правящей партноменклату[...]

Это тоже часть созданного Сталиным режима и образа жизни. Человек, каких бы карьерных высот он ни добился, должен быть полностью зависим от государства. В случае потери своего места, своей должности он становится абсолютно беззащитным. Значит, лучше служить будет, крепче держаться за свою должность!

Безликость пирамиды власти, поддерживаемая неустойчивым положением каждого из членов руководства партии и правительства, придавала этой системе особую устойчивость. Как известно, сталинская система власти пережила своего создателя почти на пятьдесят лет. Однако со смертью Сталина она утратила стержень, потеряла центр тяжести и динамику движения. Потому и была обречена!

Второй Сталин так и не сыскался. Подобные ему рождаются, к счастью, не каждое столетие.

Другой особенностью созданного Сталиным режима стала детальнейшая регламентация всех, даже сугубо частных и интимных сторон жизни человека. Стало обычным обсуждение личной жизни на партийных, комсомольских и профсоюзных собраниях. Разводы, измены, кто с кем спит и тому подобные подробности личной жизни превратились в предмет общественного обсуждения и осуждения.

Регламентация касалась всего: где лечиться, в каком учебном заведении учиться, где рожать, в каком месте быть похороненным. Практически все события личной жизни были поставлены под контроль государства, прежде всего политической полиции, имевшей повсюду густую сеть платных и бесплатных осведомителей. Жизнь любого человека стала проницаемой до мельчайших подробностей — укрыться от всевидящего ока государства было просто некуда.

Это и рождало тотальную покорность людей своей подневольной и нищей доле. Однако существовала и возвышенная, обрядовая сторона жизни. Наряду с обыденной, повседневной жизнью, советские люди одновременно жили в вымышленном мире, в котором они были объявлены самыми передовыми людьми на свете — и многие в это искренне верили, — в котором они шли от победы к победе, преодолевая «бешеное сопротивление» многочисленных внешних и внутренних врагов, мешающих им строить счастливую жизнь.

Из уст своего вождя время от времени они узнавали, что им жить стало лучше, жить стало веселее. Вера в будущее, замешанная на страхе настоящего, рождала энтузиазм. Вернее, энтузиазм рождался по вышестоящим указаниям: стахановское движение, пятилетку в четыре года, великие стройки коммунизма, посадка лесозащитных полос, ветвистая пшеница и прочее!

Вся страна жила одним и тем же, ее заставляли одинаково есть и одеваться. «Жители Ибанска не живут, а осуществляют исторические мероприятия. Они осуществляют эти мероприятия даже тогда, когда о них ничего не знают и в них не участвуют. И даже тогда, когда мероприятия вообще не проводятся». Эти слова взяты из книги А. Зиновьева «Зияющие высоты».

Вводятся новые ритуалы и празднества, новая символика и имена. Сотни городов, тысячи поселков и деревень получают имена большевистских вождей.

Детей называют Тракторинами, Атеистами, Владленами, Сталиными, Индустриализациями и т. п.

«Спасибо товарищу Сталину за наше счастливое детство!», «Спасибо товарищу Сталину за нашу счастливую жизнь!», «Под руководством великого Сталина — вперед к победам коммунизма!» — под такими и аналогичными им лозунгами полуголодные, плохо одетые и запуганные властью люди выходили два раза в год на первомайские и ноябрьские демонстрации, чтобы демонстрировать свою преданность социализму и «морально-политическое единство» партии и народа.

Сталинское время породило множество официальных штампов, скрывающих истину, а вместо нее предлагающих формулы, которые не требуют понимания, усваиваются как аксиомы, как постулаты, как формулы жизни, логический смысл которых от постоянного и многократного повторения полностью выветривается.

Приведем лишь некоторые из высказываний Сталина (или приписываемых ему), приобретших значение универсальных идеологических аксиом:

Нет таких крепостей, которые не могли бы взять большевики!

Из всех ценных капиталов, имеющихся в мире, самым ценным являются люди!

Кадры решают все!

Железной рукой загоним человечество к счастью!

Техника в период реконструкции решает все!

Вопрос о темпах решают люди!

Наше дело правое — мы победим!

Сын за отца не отвечает!

Какой уклон от генеральной линии партии хуже: левый или правый? Оба хуже!

И на нашей улице будет праздник!

Жить стало лучше, жить стало веселее!

Ленин — это Сталин сегодня!

Большевики — люди особого склада, скроены из особого материала!

Мы не должны ждать милостей от природы; взять их у нее — наша задача!

Коммунистическая утопия рождала множество мифов, которые становились нормой повседневной жизни, аксиомами, не требующими доказательств и не подвергаемыми сомнениям.

Одно из главных изобретений большевизма — партия, полностью управляющая обществом и не допускающая существования других партий и политических организаций. Как следствие, возникает совершенно новое деление общества на две неравные части: членов партии и беспартийных. Сталин усвоил и развил идею всевластия партии, которую он превратил в инструмент своей личной власти. Для этого ему понадобилось изменить социальный состав и механизм действия партии, превратить ее в мощную бюрократическую машину, в которой главенствует партаппарат, а основной массе членов партии отводится лишь роль единогласно голосующего стада.

Другим большевистским переосмыслением марксизма, положенным Сталиным в основу своей системы власти в многонациональной стране, был пролетарский интернационализм, т. е. отрицание национального начала и утверждение интернационального во имя грядущей мировой революции, которая уничтожит все национальные различия между народами. Но и эту идею Сталин использовал весьма специфически, в сочетании со старым британским правилом: «Разделяй и властвуй!» Интернационалистская фразеология не мешала ему разжигать национальную рознь, проводить искусственные границы, разделяющие народы, переселять их, возводить антисемитизм до уровня государственной политики, проводить политику русификации национальных окраин и т. п. Корни многих современных межнациональных конфликтов, продолжающих тлеть на пространствах бывшего Советского Союза (Нагорный Карабах, Южная Осетия, ингушско-осетинский, абхазский, выселение турок-месхетинцев из Узбекистана и др.), были заложены именно при Сталине и являются логическим результатом его политики.

Мастерски использовал он и другой постулат марксизма-ленинизма: преобладание коллективного, общественного начала над личным, индивидуальным. Идея эта, позаимствованная большевиками из глубин российской крестьянской общины, была доведена до абсолюта, до полного отрицания личности, до превращения народа в послушное и безмолвное стадо.

Психологический механизм уничтожения личности, созданный при Сталине, изощрен и в то же время прост. Надо растворить человека в массе — коллективное всегда выше личного, лишить его возможности быть до конца откровенным даже с близкими — все доносят друг на друга! — значит, лишить его уверенности в том, что он что-то значит сам по себе и что-то может сделать, лишить его веры в поддержку со стороны других, иначе говоря, лишить его воли к сопротивлению).

Полное одиночество на миру рождало покорность. Солженицын называет обитателей ГУЛАГа кроликами, т. е. существами, даже не помышляющими о возможности сопротивления, покорившимися злу. Власть стремилась создать в стране общее ощущение того, что с нею вообще ничего сделать нельзя. Чтобы даже мысли о сопротивлении не могло возникнуть, как писал Ленин в октябре 1917 года в статье «Удержат ли большевики государственную власть?».

Сталин сумел реализовать эту идею Ильича в таких формах и масштабах, о которых ее автор не мог и помыслить.

Сталин и его окружение сумели добиться, казалось, невозможного. Сквозь призму возвышенных коммунистических идеалов обыденная, повседневная жизнь начинает ощущаться людьми как проступок или даже преступление перед государством, рождает ощущение вины и ежеминутное ожидание наказания от властей предержащих.

Постоянно происходило умышленное внедрение лжи в общественное сознание для того, чтобы лишить человека индивидуальности, превратить его в винтик механизма или в стадную особь — не рассуждающую, не размышляющую, безвольную, которую гонят вместе со всеми в определенном направлении. Это и было состоянием идеологического рабства, внедренного почти одновременно в своих странах Сталиным и Гитлером.

Именно на этом фоне и возвысился Сталин. Ничтожеств, которые его окружали, он поднял до положения вождей нации.

Все они, включая Сталина, смогли возвыситься, только унизив остальных, только низведя человека до уровня безличного винтика в машине государства, до уровня единицы, неотличимой от других таких же единиц, которые, по словам поэта, к тому же «вздор и ноль»!

И всю эту немыслимую, противоестественную, абсурдную систему власти скрепляли энтузиазм, замешанный на вере в скорое пришествие светлого будущего, плебейская гордость массы, вдруг ощутившей себя хозяином страны, и страх перед всесильными органами, которые «никогда не ошибаются». А в теории это называлось классовым террором, классовой борьбой, которая постоянно возрастает по мере движения к социализму и коммунизму. Большевики заменили индивидуальный террор классовым. Сталин сделал его массовым, придал ему всеобщий характер, превратил террор в главный вид деятельности государства.

В свое время Зиновьев, теоретически обосновывая необходимость террора, писал: «Если вы действительно принимаете идею революции, вы должны принять и идею террора. Без террора ничего невозможно сделать, и в этом вина не наша, а буржуазии, ее ненависть к народу. Только террор способен сломить сопротивление буржуазии».

Сталин террор не обосновывал, он его использовал, превратил в повседневность, в необходимую составляющую повседневной жизни страны. Идеологическим и физическим насилием он изнурял народ, превращая его жизнь в фантасмагорическую смесь надежд и страха, лжи и доносительства, героического, хотя и нередко бессмысленного труда, светлых идеалов и беспрерывной борьбы за выживание, а также беспрестанных славословий в свой адрес.

Коммунистические вожди XX столетия — Ленин, Сталин, Мао Цзэдун и др. — пытались вести свою интеллектуальную родословную от античных философов и христианской морали, от Гегеля и идей французской революции, но при ближайшем рассмотрении их воззрений выясняется поразительная скудость мыслей и учения. Ведь все многообразие мира и человеческой истории было сведено ими к борьбе классов, объясняется этой борьбой, подчинено этой борьбе. А апофеозом учения становится идея диктатуры пролетариата как «никакими рамками не стесненного, неограниченного насилия над личностью (Ленин)».

Первоначально объектом насилия выступают свергнутые революцией правящие классы и их пособники. Затем их участь разделяют все остальные, в том числе и представители пролетарских масс, кто хоть в чем-то проявил вольнодумство, ослушание, выбился из общего ряда.

Социальный дарвинизм, борьба за существование, но не в расовом, как у нацистов, и не в индивидуальном, как у Ницше, а в классовом аспекте. А когда идет борьба классов, масс, то отдельный человек, отдельная личность утрачивают всякий смысл и значение.

Социальным злом коммунисты объявили все, что составляло содержание общества: частную собственность и буржуазную мораль, буржуазную культуру и буржуазную демократию, буржуазное право и капиталистическое производство. Все это должно быть отвергнуто и разрушено.

«Разрушая — создаем!», «Грабь награбленное!», «Экспроприируй экспроприаторов!», «Мы разрушим — мы и построим. Вся сила в нас самих!» — под этими и подобными лозунгами большевики захватили власть в стране, сделав народ соучастником своих преступлений. А затем происходит размывание самого понятия пролетариата и его диктатуры. К слову сказать, почти вся правящая верхушка большевиков никакого отношения к пролетариату не имела, как не был пролетарием и герой нашей книги. Отныне любой может быть отнесен к категории пособников классового врага, двурушников — излюбленное бранное словечко Сталина — подкулачников и т. п., что беспредельно раздвигает границы террора.

Отныне уже ничто, в том числе чистота классового происхождения, участие в революционной борьбе, членство в компартии и прочее, — не может защитить от стихии террора и насилия. Отрицание прав за другими с неизбежностью в конечном счете приводит и к утрате собственных прав.

Революционная целесообразность подменяет право как инструмент регулирования социальных отношений, что делает человека абсолютно беззащитным перед лицом власти. Равенство в правах, по мнению идеологов коммунизма, является несправедливым. Ведь равные мерки, равные требования предъявляются к людям, заведомо неравным в силу происхождения, ума, таланта, физического здоровья и т. п. Они заменяются универсальной и безличной, в том числе и в классовом отношении, формулой «враг народа».

251

В категорию врагов народа мог попасть каждый. Как известно, сам Сталин едва не стал жертвой собственного изобретения. При аресте Ежова в 1938 году у него в сейфе был обнаружен компромат на самого вождя: показания грузинских социал-демократов с дореволюционным стажем о том, что Сталин был агентом царской охранки.

Коммунистическая идеология создает вымышленный, несуществующий мир, который противопоставляет реальному. Но реальный мир несовершенен, он полон зла и несправедливости, а потому, по мысли коммунистов, подлежит уничтожению, в лучшем случае — полной переделке. Поскольку социализм и коммунизм в их теоретическом виде заведомо неосуществимы, а цель их построения является ложной, на первый план выходят средства достижения этой цели. Любые средства в этом случае оправданны и хороши. И уже не цель оправдывает средства, а сами средства подменяют собою цель.

В конечном счете от первоначальной абстрактной и возвышенной цели создания нового, более человечного общества остаются лишь преступления и ложь, оправдывающая преступления и придающая им вид добродетели.

Коммунистическая утопия, противопоставленная реальному миру, обреченному на систематическое уничтожение в силу своего несовершенства, породила особый фантасмагорический мир, в котором перемешаны ложь и действительность, мечты и убогая реальность, объясняемая происками врагов. Если у вас есть враги, вам нужна советская власть, говорит один из героев платоновского «Чевенгура».

Именно Сталин стал архитектором и строителем этого мира, этой системы, в центр которой он поставил самого себя. Сталин сумел сделать зло будничным и всеобщим, более того, придать ему видимость не отклонения, а нормы жизни, заставить поверить в него как в высшие идеалы. Империя, которую он создал, была империей зла и страха, империей лжи и насилия, империей единомыслия и ложных кумиров, которую потом назвали Великой Утопией, как бы забыв о том, что она была реальным повседневным кошмаром жизни для сотен миллионов людей на протяжении нескольких десятилетий.

...Ужели к тем годам мы снова обратимся...?[1]

---

[1] *А. С. Пушкин.* Послание цензору.

Содержание

Предисловие. К. Собчак 5

Вступление 10

Пункт 1. Фамилия, имя, отчество:
Джугашвили—Сталин Иосиф Виссарионович 20

Пункт 2. Рождение и смерть 28

Пункт 3. Внешность (внешние приметы). Образ жизни 78

Пункт 4. Характер 102

Пункт 5. Национальность 146

Пункт 6. Социальное происхождение 161

Пункт 7. Социальное положение. Род занятий (профессия).
Выполняемая работа и занимаемые должности с начала
трудовой деятельности. Чем занимался до 1917 года?
Работа по совместительству 168

Пункт 8. Образование. Знание иностранных языков
и языков народностей СССР. Ученая степень (звание).
Научные труды 181

Пункт 9. Партийность 197

Научно-популярное издание

ПОСЛЕДНЯЯ КНИГА А. СОБЧАКА

Собчак Анатолий

СТАЛИН. ЛИЧНОЕ ДЕЛО

Ответственный редактор *А. Соловьев*
Художественный редактор *А. Сауков*
Технический редактор *О. Серкина*
Компьютерная верстка *В. Фирстов*
Корректор *Т. Бородоченкова*

ООО «Издательство «Эксмо»
123308, Москва, ул. Зорге, д. 1. Тел. 8 (495) 411-68-86, 8 (495) 956-39-21.
Home page: **www.eksmo.ru**   E-mail: **info@eksmo.ru**

Өндіруші: «ЭКСМО» АҚБ Баспасы, 123308, Мәскеу, Ресей, Зорге көшесі, 1 үй.
Тел. 8 (495) 411-68-86, 8 (495) 956-39-21
Home page: www.eksmo.ru   E-mail: info@eksmo.ru.
Тауар белгісі: «Эксмо»
Қазақстан Республикасында дистрибьютор және өнім бойынша
арыз-талаптарды қабылдаушының
өкілі «РДЦ-Алматы» ЖШС, Алматы қ., Домбровский көш., 3«а», литер Б, офис 1.
Тел.: 8 (727) 2 51 59 89,90,91,92, факс: 8 (727) 251 58 12 вн. 107; E-mail: RDC-Almaty@eksmo.kz
Өнімнің жарамдылық мерзімі шектелмеген.
Сертификация туралы ақпарат сайтта: www.eksmo.ru/certification

Сведения о подтверждении соответствия издания
согласно законодательству РФ о техническом регулировании
можно получить по адресу: http://eksmo.ru/certification/

Өндірген мемлекет: Ресей
Сертификация қарастырылмаған

Подписано в печать 26.01.2015.
Формат 60×90 $^1/_{16}$. Гарнитура «JournalCTT».
Печать офсетная. Усл. печ. л. 16,0.
Доп. тираж 3000 экз. Заказ № 626.

Отпечатано с готовых файлов заказчика
в ОАО «Первая Образцовая типография»,
филиал «УЛЬЯНОВСКИЙ ДОМ ПЕЧАТИ»
432980, г. Ульяновск, ул. Гончарова, 14

ISBN 978-5-699-65982-1

9 785699 659821

16+

Оптовая торговля книгами «Эксмо»:
ООО «ТД «Эксмо». 142700, Московская обл., Ленинский р-н, г. Видное,
Белокаменное ш., д. 1, многоканальный тел. 411-50-74.
E-mail: **reception@eksmo-sale.ru**

По вопросам приобретения книг «Эксмо» зарубежными оптовыми
покупателями *обращаться в отдел зарубежных продаж ТД «Эксмо»*
E-mail: **international@eksmo-sale.ru**

*International Sales: International wholesale customers should contact
Foreign Sales Department of Trading House «Eksmo» for their orders.*
international@eksmo-sale.ru

По вопросам заказа книг корпоративным клиентам, в том числе в специальном
оформлении, *обращаться по тел.* +7 (495) 411-68-59, доб. 2261, 1257.
E-mail: **ivanova.ey@eksmo.ru**

Оптовая торговля бумажно-беловыми
и канцелярскими товарами для школы и офиса «Канц-Эксмо»:
Компания «Канц-Эксмо»: 142702, Московская обл., Ленинский р-н, г. Видное-2,
Белокаменное ш., д. 1, а/я 5. Тел./факс +7 (495) 745-28-87 (многоканальный).
e-mail: **kanc@eksmo-sale.ru**, сайт: www.**kanc-eksmo.ru**

В Санкт-Петербурге: в магазине «Парк Культуры и Чтения БУКВОЕД», Невский пр-т, д.46.
Тел.: +7(812)601-0-601, www.bookvoed.ru/

Полный ассортимент книг издательства «Эксмо» для оптовых покупателей:
В Санкт-Петербурге: ООО СЗКО, пр-т Обуховской Обороны, д. 84Е. Тел. (812) 365-46-03/04.
В Нижнем Новгороде: Филиал ООО ТД «Эксмо» в г. Н. Новгороде, 603094, ул.
Карпинского, д. 29, бизнес-парк «Грин Плаза». Тел. (831) 216-15-91 (92, 93, 94).
В Ростове-на-Дону: Филиал ООО «Издательство «Эксмо», пр. Стачки, 243А. Тел. (863) 305-09-13/14.
В Самаре: ООО «РДЦ-Самара», пр-т Кирова, д. 75/1, литера «Е». Тел. (846) 207-55-56.
В Екатеринбурге: Филиал ООО «Издательство «Эксмо» в г. Екатеринбурге,
ул. Прибалтийская, д. 24а. Тел. +7 (343) 272-72-01/02/03/04/05/06/07/08.
В Новосибирске: ООО «РДЦ-Новосибирск», Комбинатский пер., д. 3.
Тел. +7 (383) 289-91-42. E-mail: **eksmo-nsk@yandex.ru**
В Киеве: ООО «РДЦ Эксмо-Украина», Московский пр-т, д. 9. Тел./факс: (044) 500-88-23.
В Донецке: ул. Складская, 5В, оф. 107. Тел. +38 (032) 381-81-05/06.
В Харькове: ул. Гвардейцев Железнодорожников, д. 8. Тел. +38 (057) 724-11-56.
Во Львове: ТП ООО «Эксмо-Запад», ул. Бузкова, д. 2. Тел./факс (032) 245-01-71.
В Симферополе: ООО «Эксмо-Крым», ул. Киевская, д. 153.
Тел./факс (0652) 22-90-03, 54-32-99.
В Казахстане: ТОО «РДЦ-Алматы», ул. Домбровского, д. 3а.
Тел./факс (727) 251-59-90/91. **rdc-almaty@mail.ru**

Полный ассортимент продукции издательства «Эксмо»
можно приобрести в магазинах «Новый книжный» и «Читай-город».
Телефон единой справочной: 8 (800) 444-8-444. Звонок по России бесплатный.

Интернет-магазин ООО «Издательство «Эксмо»
www.fiction.eksmo.ru
Розничная продажа книг с доставкой по всему миру.
Тел.: +7 (495) 745-89-14. E-mail: **imarket@eksmo-sale.ru**